ストレッチ・メソッド

5つのコツで → もっと伸びる　体が変わる

高橋書店

そのストレッチ
本当に伸びていますか？

よく見かけるストレッチも…

太もも裏側につく筋肉、「ハムストリングス」のストレッチでは、脚を伸ばして前屈します。このとき背すじを丸めるだけではあまり伸びません

背中を丸めて前屈

NG

足首を持って引く

太もも前面につく「大腿四頭筋」のストレッチは、ひざを曲げてから後ろへ引っ張ります。このとき足首を持つと、あまり伸びません

ただ伸ばす
だけではダメ!

ストレッチには
コツがある!

本書では
5つのコツを
紹介!

1 コアを自在に操作する
2 筋肉の構造特性に合わせる
3 基部を固定して逃がさない
4 テコの原理を利用する
5 ラクな姿勢でゆっくり伸ばす

こうすればもっと伸びる!

背すじを
伸ばして
前屈

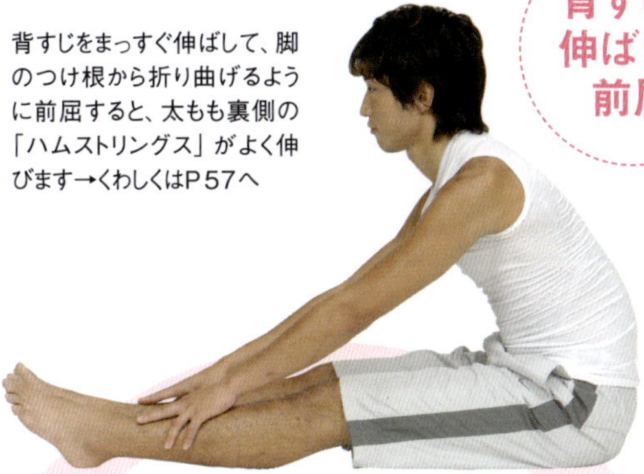

背すじをまっすぐ伸ばして、脚のつけ根から折り曲げるように前屈すると、太もも裏側の「ハムストリングス」がよく伸びます→くわしくはP57へ

Good

つま先を
持って
引く

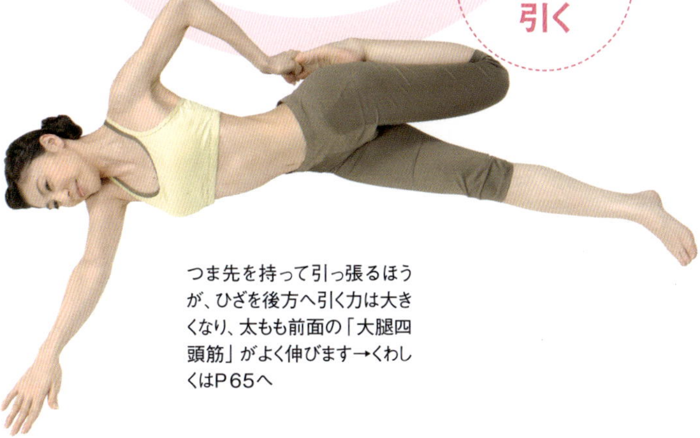

つま先を持って引っ張るほうが、ひざを後方へ引く力は大きくなり、太もも前面の「大腿四頭筋」がよく伸びます→くわしくはP65へ

胴体部分である〝コア〟が硬いと
カチコチの体に…

コアの硬さはストレッチの敵！

イスにしっかりおしりをつけたまま上半身をねじって
真後ろに振り返る動作…。あなたはできますか？
このような、胴体部分である〝コア〟を使った動きができない人が
近年、女性を中心にかなり増えているようです。
ストレッチでは筋肉を〝脱力〟させることが大切。
このとき体の芯にあたるコアの部分が
ほぐれていると、上手に力を抜けるんです！
逆にコアがこり固まって動かないと
周囲の筋肉がリラックスできず、全身がカチコチに…。
まずはコアをほぐして、脱力できる体をつくりましょう。

この動きが全部できますか?

脚を内側にねじる

□Check!

上半身を動かさずに脚だけをねじれるかどうか

肩を後ろに引く

□Check!

肩甲骨どうしを近づけられるかどうか

上半身をねじる

□Check!

腰を動かさずに上半身だけをねじれるかどうか

背中を丸める

□Check!

腰を動かさずにおへそをのぞきこめるかどうか

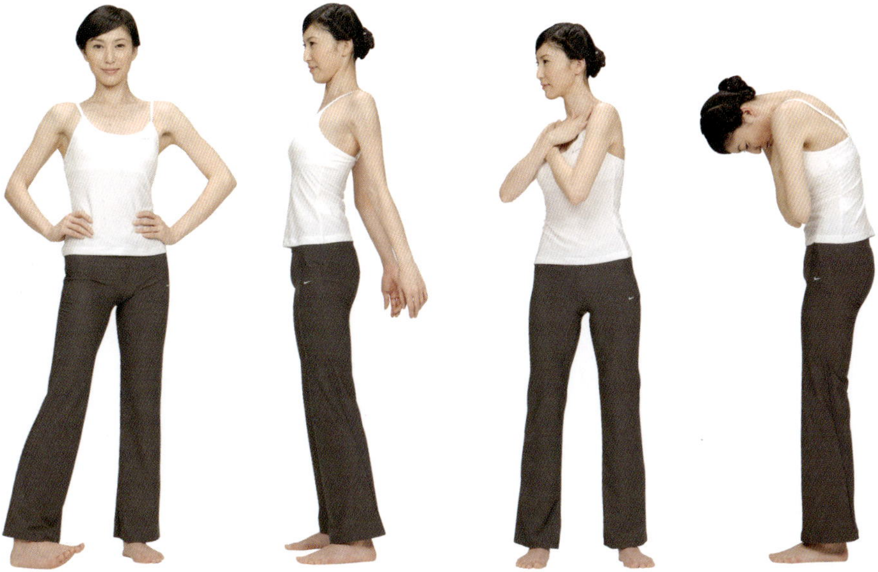

できない人、動きがわかりにくい人はP27 ～の「体の芯をほぐすコアドリル」からスタートしましょう!

ストレッチの決定版

本書のストレッチはここが違います！

筋肉を図解入りで解説

そのストレッチで伸ばす筋肉の役割や特性を解説。骨の付着部まで精密に示した図解入りで、筋肉のことがくわしくわかります

わかりやすい部位名で分類

伸ばす部位を、わかりやすい呼び方で分類。筋肉の名称になじみがない人も、心配なくおこなえます

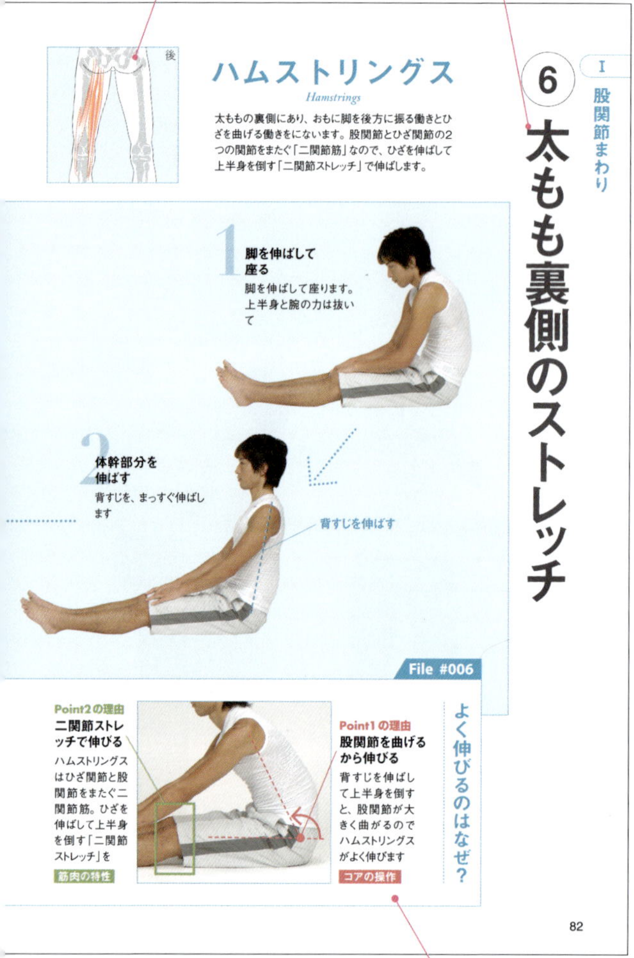

後
ハムストリングス
Hamstrings
太ももの裏側にあり、おもに脚を後方に振る働きとひざを曲げる働きをになっています。股関節とひざ関節の2つの関節をまたぐ「二関節筋」なので、ひざを伸ばして上半身を倒す「二関節ストレッチ」で伸ばします。
I
股関節まわり
6
太もも裏側のストレッチ
1 脚を伸ばして座る
脚を伸ばして座ります。上半身と腕の力は抜いて
2 体幹部分を伸ばす
背すじを、まっすぐ伸ばします
背すじを伸ばす
File #006
Point2の理由
二関節ストレッチで伸びる
ハムストリングスはひざ関節と股関節をまたぐ二関節筋。ひざを伸ばして上半身を倒す「二関節ストレッチ」を
筋肉の特性
Point1の理由
股関節を曲げるから伸びる
背すじを伸ばして上半身を倒すと、股関節が大きく曲がるのでハムストリングスがよく伸びます
コアの操作
よく伸びるのはなぜ？
82

よく伸びる理由がわかる

上の動作で伸びる理由を説明。chapter3で解説するストレッチのコツをマークで示しているので、伸びるしくみがよくわかります

硬い人のための「らくらくストレッチ」

よく伸びるストレッチでは痛みを感じる人向けに、ラクにおこなえるストレッチも紹介しています

伸ばす目的がわかる

その筋肉を伸ばすことで得られるメリットを解説。ストレッチの目的や効果が理解できます

立っておこなう方法も紹介

筋肉を緊張させないように座るか寝るかするのが、よく伸びるストレッチの基本。屋外などでそれが難しいときは、立っておこなう方法を

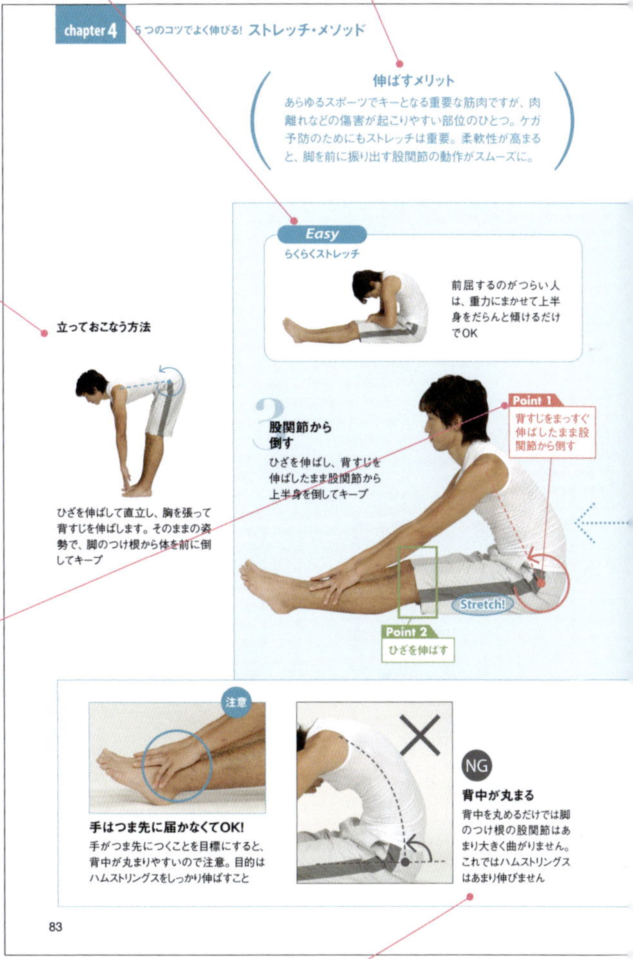

chapter 4　5つのコツでよく伸びる! ストレッチ・メソッド

伸ばすメリット

あらゆるスポーツでキーとなる重要な筋肉ですが、肉離れなどの傷害が起こりやすい部位のひとつ。ケガ予防のためにもストレッチは重要。柔軟性が高まると、脚を前に振り出す股関節の動作がスムーズに。

Easy

らくらくストレッチ

前屈するのがつらい人は、重力にまかせて上半身をだらんと傾けるだけでOK

立っておこなう方法

ひざを伸ばして直立し、胸を張って背すじを伸ばします。そのままの姿勢で、脚のつけ根から体を前に倒してキープ

3

股関節から倒す

ひざを伸ばし、背すじを伸ばしたまま股関節から上半身を倒してキープ

Point 1

背すじをまっすぐ伸ばしたまま股関節から倒す

Stretch!

Point 2

ひざを伸ばす

注意

手はつま先に届かなくてOK!

手がつま先につくことを目標にすると、背中が丸まりやすいので注意。目的はハムストリングスをしっかり伸ばすこと

NG

背中が丸まる

背中を丸めるだけでは脚のつけ根の股関節はあまり大きく曲がりません。これではハムストリングスはあまり伸びません

83

動きのポイントがわかる!

解剖学的な根拠にもとづいた、ストレッチ動作のポイントを明らかに。よく伸びる理由を知りたいときは、下の解説もあわせてチェック!

ありがちなNGの具体例を紹介

間違えやすい動きと、その動きでは筋肉が伸びない理由を説明。やってしまいがちなNGポイントが一目瞭然

CONTENTS

chapter 3
どんどんやわらかくなる!
ストレッチ5つのコツ

chapter 4
5つのコツでよく伸びる!
部位別ストレッチ・メソッド

chapter 5 動きながらゆるめる！ ダイナミックストレッチ・メソッド

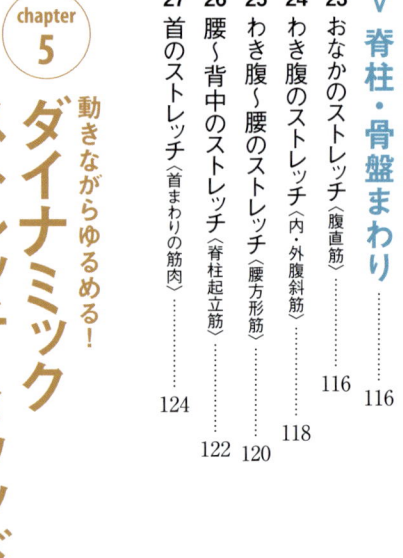

Appendix
家やオフィスでできる! 悩み別ストレッチメニュー

Column

アートディレクション/間野 成
デザイン/松平陽介
写真撮影/橋詰かずえ
イラスト/宮崎信行　ワタナベモトム
ヘア&メイク/のざわ理恵
スタイリング/カナヤマヒロミ
モデル/岡本竜太　矢澤深雪(アイル)
DTP/天龍社
編集協力/友成響子(羊カンパニー)

衣装協力
○アディダス ジャパン
〈お客様窓口 ☎0120-81-0654〉
P67、128、129～147、
150～159のウエアと靴

○ゴールドウィン
〈カスタマーサービスセンター
☎0120-307-560〉
P2～3の女性モデル、54、60、64～66、
86～95、110～115のウエア

スポーツ種目別・ストレッチ一覧

スポーツの種目ごとに適したストレッチを紹介。この表を参考にして
競技のパフォーマンス向上やケガ予防のためにストレッチをおこないましょう。

※肩コリなど、体の不調解消を目的としたストレッチメニューは、Appendix（P149 ～）をご参照ください

ページ数	筋肉名	ウォーキング・ジョギング	短距離走	水泳	テニス	ゴルフ	野球	サッカー	格闘技（打撃）	格闘技（組み技）
72	大臀筋	○	◎	○	○	○	○	○	○	○
76	中臀筋	△	○	○	○	○	○	○	○	○
78	梨状筋	△	○	△	△	△	△	△	△	△
80	腸腰筋	○	◎	○	○	△	○	○	○	○
82	ハムストリングス	○	◎	○	◎	◎	◎	◎	◎	◎
84	内転筋	○	○	○	○	○	○	○	○	○
86	大腿四頭筋	○	◎	○	○	○	○	○	○	○
88	ヒフク筋	◎	◎	◎	○	○	○	○	○	○
90	ヒラメ筋	◎	◎	◎	○	○	○	○	○	○
92	前脛骨筋	◎	○	◎	△	△	△	○	○	△
94	足底筋群	◎	○	○	△	△	△	△	△	△
96	大胸筋		○	◎	◎	◎	◎	○	◎	◎
98	広背筋		○	◎	◎	◎	◎	○	◎	◎
102	三角筋		○	△	○	○	○	○	○	○
104	僧帽筋		△	△	○	○	○	△	△	○
106	ローテーターカフ			○	○	○	◎		○	◎
110	上腕二頭筋			○	○	○	○	△	○	○
112	上腕三頭筋			◎	○	○	○	△	○	○
114	前腕屈筋群			○	○	○	○		○	○
115	前腕伸筋群				○	○	○		○	○
116	腹直筋	△	○	○	○	○	○	○	○	○
118	内・外腹斜筋	△	○	○	◎	◎	◎	○	○	○
120	腰方形筋		△	△	△	△	△	△	△	○
122	脊柱起立筋	△	○	○	○	○	○	○	○	○
124	首まわりの筋肉			△				◎	△	◎

マークの見方

◎…… 入念におこないたい　○…… おこないたい　△…… できればおこないたい

chapter 1

伸びる&やわらかくなるだけじゃない!

ストレッチの魅力としくみ

そもそも〝ストレッチ〟とは

筋肉を伸ばすと体はグンと変わる!

ストレッチは「体にいいもの」「体を伸ばす準備運動」。たいていの人は、こんな漠然としたイメージを抱いていると思います。でもいったい、ストレッチとは具体的にはどのような運動で、体にどんな変化をもたらすのでしょうか?

ストレッチとはその名のとおり、〝伸ばす〟行為です。前屈をしたり伸びをしたりといった動きで、関節をできる限り曲げたり伸ばしたりすることで、筋肉をその両端から〝引っ張って伸ばす〟動きです。

筋肉を伸ばすと、体にはいろいろな変化が起こります。いちばん

ストレッチで伸びるのはどこ?

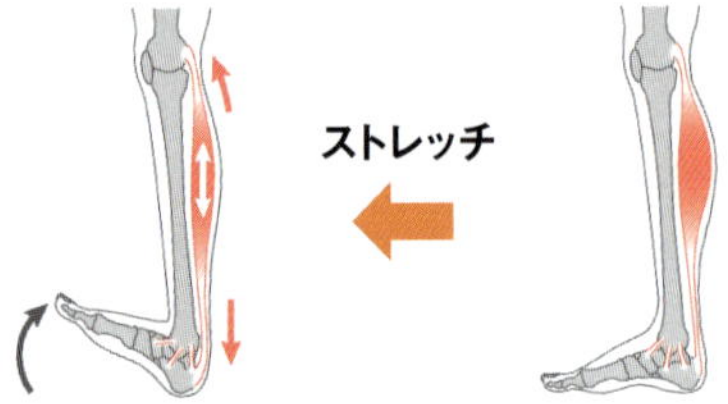

たとえば足首を曲げるストレッチをおこなうと、ふくらはぎの筋肉が伸びます。また、筋肉に比べると伸び方は小さいですが、筋肉の両端にある腱や、関節を安定させる靭帯もいっしょに伸びています

の効果は、もちろん柔軟性の向上でしょう。ここで言う柔軟性の向上とは、筋肉が伸びやすくなるということです。筋肉がよく伸びることで、関節の動く幅も広がります。

また伸ばすことで、筋肉のこわばりが解きほぐせるという効果も。これによって血液循環が促され、コリや冷えなどの不調が解消し、筋肉と体を快適な状態へと導けます。さらにストレッチは本来、とても気持ちがいいもの。体がほぐれるだけでなく、精神的なリラックス効果もあるのです。

ストレッチ 3つの効果

1 やわらかい体になる!

筋肉の柔軟性がアップし、関節の可動域が拡大します。スポーツパフォーマンスが向上するだけでなく、日常の動作もスムーズに

2 快適な体になる!

ストレッチで筋肉を伸ばすと、筋肉のこわばりがほぐれます。血液循環が良くなり、コリや冷え性などの不調が解消。体のコンディションが高まります

3 心身ともにリラックス!

ストレッチは、その行為自体がとても気持ちいいもの。精神的なリラックス効果が得られ、しかも安眠を導くという報告もあります

ストレッチの魅力
1

筋肉が伸びやすくなり やわらかい体になる

「柔軟性アップ」で動きがスムーズに！

運動不足が続くと体はどんどん硬くなります。そして、体の硬さをコンプレックスに感じているという人が、とくに女性を中心に増えているようです。また、スポーツを楽しむために、体の硬さが原因で起こるケガや動きにくさを克服して、パフォーマンスアップを図りたいという人は男女ともに多いでしょう。

ストレッチは筋肉の柔軟性を増し、伸びやすくします。筋肉が伸びやすくなると、その筋肉がつく関節の動ける範囲、つまり「関節の可動域」が広がります。たとえば、前屈したときに指先が床に届

かなかった人が、ストレッチをおこなうと手のひらまでつくようになるのです。

関節の可動域が広がると動作に余裕ができて、体の動きがスムーズに。そうなればもちろん、スポーツパフォーマンスの向上につながるうえ、スポーツ時のケガも起こりにくくなるでしょう。

逆に筋肉の柔軟性が低下し、関節の可動域が狭まることは、スポーツ時にはもちろん、日常生活でもさまざまな面でマイナス。まず柔軟性の低下は、姿勢の悪さを導く原因のひとつになります。たとえば、太もも裏側の筋肉が硬く張った状態だと、太もも裏側の筋肉によって骨盤が後ろに引っ張られます。こうして腰が丸まり、いわゆる猫背の姿勢になってしまうのです。また、柔軟性は加齢とともに低下するため、高齢者などでは柔軟性の低下が原因で日常の動作が制限される場合さえあります。たとえば股関節の筋肉が硬くなると、歩行時に大きく脚を踏み出せずに歩幅が狭くなり、転倒リスクが高まるという指摘もあるのです。

これらの状態に思いあたる人は〝要注意〟。柔軟性がかなり低下しています。ストレッチで柔軟性の高い、よく伸びる筋肉に変える必要があるでしょう。

伸びやすくなると こんなにいいことが…!!

1 体をスムーズに大きく動かせる
2 ケガの予防につながる
3 姿勢が良くなる

ストレッチの魅力①

やわらかボディをつくる2つの要素

ストレッチで筋肉が〝伸びる〟しくみ

「弾力性の低下」と「脱力」がポイント

筋肉の伸びやすさは、おもに次の2つの要素によって決まります。ひとつは〝筋肉の材質としての伸びやすさ〟。これは、筋肉の収縮装置をとりまくものの伸びやすさ（弾力の程度）で決まります。

もうひとつの要素が〝筋肉の脱力の程度〟です。筋肉は縮む方向に力を発揮するので、脱力できるほど伸びやすく、力が入ってしまうほど伸びにくくなるのです。

ストレッチをおこなうと、これらの2つの要素に変化が起こります。まず、筋肉内の結合組織の弾力性が低下することで、筋肉の材質としての伸びやすさが向上します。

伸びやすさの2つの要素

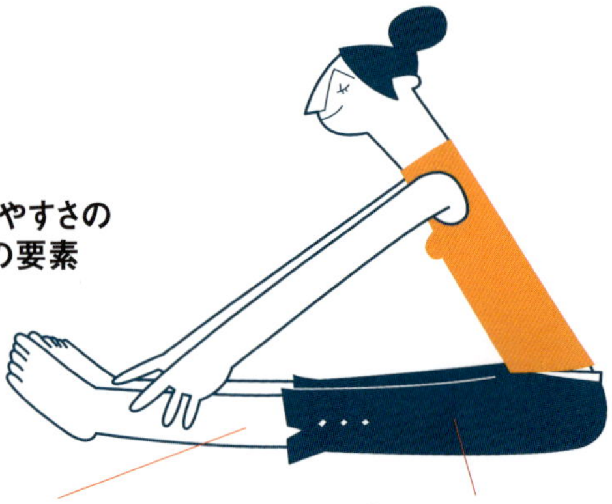

1 筋肉の材質

筋肉の材質としての伸びやすさは、収縮装置である「筋線維（筋細胞）」の内外をおおう、筋膜などの結合組織の材質的な弾力性によって決まります。ストレッチは、この弾力性を低下させ、伸びやすい状態へと導きます

2 筋肉の力の抜け具合

筋肉は縮む方向に力を発揮するため、力が入るほど伸びにくく、脱力しているほど伸びやすくなります。ストレッチは、これ以上伸ばさせまいとする「伸張反射」などの反応を抑えて筋肉を脱力させ、伸びやすい状態に変えられます。ちなみに息を止めるのも力が入る一因です

また、ストレッチをおこなうと、伸ばされることに対して筋収縮を起こす「伸張反射」（左上図）などの筋活動が起こりにくくなり、筋肉が脱力しやすくなります。これらの生理的変化はストレッチ直後に急性に起こるため、ストレッチをおこなうとその場で柔軟性が向上します。しかも継続的にストレッチをすることで、急性の変化だけでなく伸びやすい筋肉へと本質的に変化させられるのです。

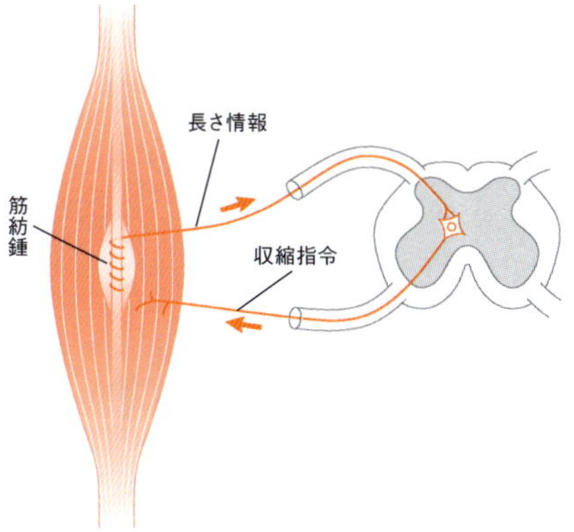

脱力をじゃまする「伸張反射」

筋肉を伸ばさせまいと働く「伸張反射」は、姿勢の維持や筋肉の保護に必要な反射機構。ただし過敏になると、柔軟性を阻害することに。ストレッチによって、筋肉の長さを感知する「筋紡錘」の感度が低下するため、伸張反射が起こりにくくなり、脱力しやすくなります

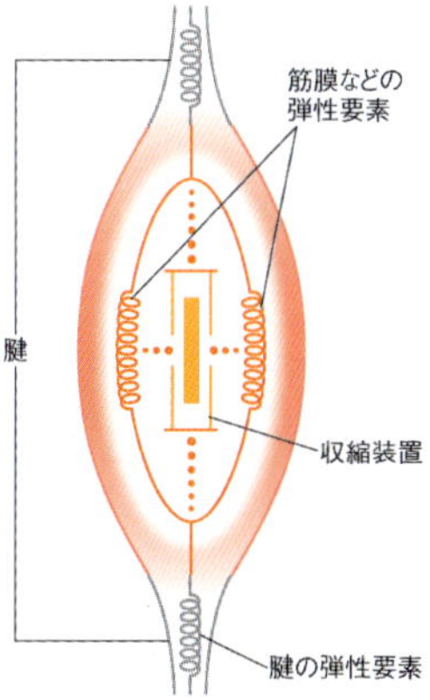

「弾力性」と筋肉の構造

筋膜などの結合組織の弾性要素は、ストレッチによって弾力性（伸びにくさ）が低下。なお、腱の弾力性も関節の可動域にかかわりますが、その伸び量は筋肉に比べると小さいです

ストレッチの魅力
2

筋肉の〝こわばり〟をほぐし快適な体になる

〝ほぐれた〟筋肉はトラブル知らず

筋肉は、動かさずにいたり、同じ姿勢をとり続けたり、疲労がたまったりすると、硬くこわばります。こうなってしまうと、筋肉が収縮・弛緩して血液を送り出す「筋ポンプ作用」がスムーズに働かず、血液循環が悪い状態に。さらに血流が滞ると、血管からしみ出る水分や疲労物質である乳酸の蓄積などの影響で、周辺組織がどんどん硬くなる…という悪循環に。ひとたび負のサイクルに入ると、筋肉はますますこわばって硬くなり、肩コリや腰痛、冷えなどのトラブルが続発してしまうのです。

ストレッチには、こうした筋肉のこわばりをほぐす効果が認めら

れています。やわらかくほぐれた筋肉は血液循環が良く、酸素や栄養素が全身くまなく行き渡るようになり、良好なコンディションをつくります。つねに新鮮な血液が行き届いた状態なら、疲労を誘発する乳酸の発生や蓄積も抑えられ、筋肉の疲労も解消。また、血液には熱を運ぶ作用があるため、冷え性の緩和にも役立ちます。

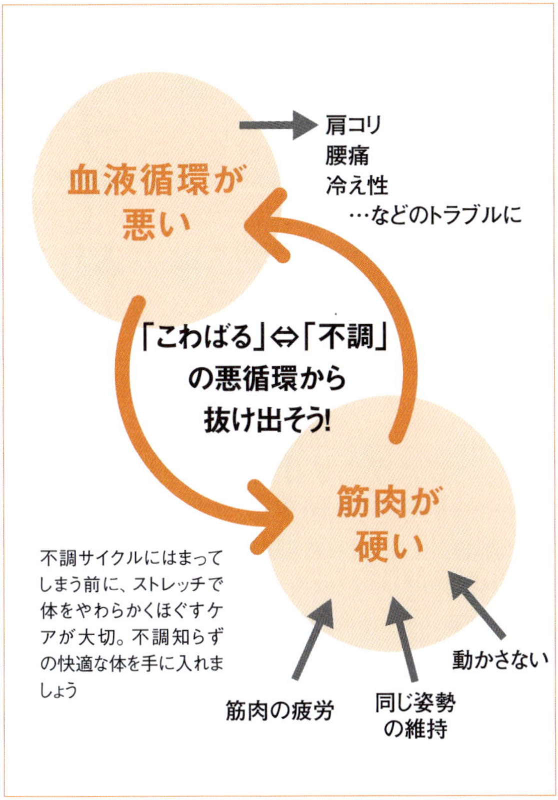

ストレッチの魅力 2

ストレッチで快適になるしくみ

負のサイクルを導く要因を解消する!

硬くなる2つの要因 “硬化”と“緊張”を解消する

筋肉が硬くこわばるのには、2つの要因が考えられます。ひとつは筋肉の材質的な変化によるもの、もうひとつは筋肉に力が入ってしまうことによる神経的な要因です。ストレッチにはこれらを解消する効果があります。

硬さの原因❶

じっとしていると 筋肉は硬化する

筋肉をじっと動かさずにいたり、同じ姿勢をとって力が入り続けたりすると、筋肉の材質としての硬さが増します。この筋肉の硬化が、ストレッチによって解消することがわかっています

硬さの原因❷

疲れがたまると 筋肉は緊張する

疲労しているときや痛みがあるときの筋肉は、わずかに力が入っています。これを筋肉の緊張と言います。ストレッチをすると、疲労による筋肉の緊張が抑えられるのです

ストレッチが硬さの要因をオフ

硬くなる2つの要因がとり除かれると、
筋肉はコンディションの良い状態へ。
疲労や筋肉痛からの回復が早くなるとの報告も!

体が快適になれば、動きも活発に!

ストレッチで筋肉がほぐれて体が快適になれば、日常の身体活動もそれだけアクティブになるはず。知らず知らず動きが機敏になり、万歩計をつけたときの歩数も増えるかもしれません。また、柔軟性が増してスムーズに体を動かせるようになることも、アクティブな身体活動を後押しするでしょう。日常の活動が活発になると、それだけ消費エネルギーも増えるわけですから、ダイエットにもつながります。

ストレッチ自体は強度が低いため、直接的なダイエット効果が期待できる運動ではありません。しかし、日常的に活発な身体活動をおこなえる体の〝下地〟をつくるという意味で、間接的なダイエットになるとは言えるでしょう。

ストレッチの魅力

3

心までほぐれて リラックスできる

気持ちいいから自然と伸ばしたくなる!

ストレッチでほぐされるのは、筋肉だけではありません。筋肉とともに、心の緊張もやわらげられるのです。

寝起きにあくびをしながらおこなう〝伸び〟は、とても気持ちいいですよね。これはだれかに教わってするものではなく、無意識におこなっているもの。猫が伸びをするのも同じことです。これらはじつは、背中や胸などの筋肉のストレッチになっています。

すでに述べたとおり、ストレッチには体のコンディションを整えて快適にするというメリットがあります。体のケアに必要だからこそ、私たちは筋肉を伸ばす行為を本能的に〝気持ちいい〟と感じてやっているのでしょう。

実際、ストレッチでゆっくり筋肉を伸ばすと、体をリラックスさせる副交感神経の活動が優位になり、心拍数が下がり、気分が落ち着くことが知られています。このリラックスした状態が、安眠を導く効果があるという報告も。就寝前のひととき、お風呂上がりなどにゆったりとおこなうストレッチは気持ちをリラックスさせ、深い眠りへと導く有効な手段となるでしょう。

循環の悪い筋肉は冬眠しているようなもの!?

やわらかくほぐれた筋肉は血液循環が良く、酸素や栄養素が充分に行き渡ります。また、血液は酸素や栄養素だけでなく「熱」を運ぶ役割もあるので、循環の良い筋肉は高い温度に保たれます。筋肉の中ではさまざまな化学反応が起こっていますが、化学反応は温度が高いほど速く進むもの。したがって、酸素や栄養素が行き渡り、温度も高く保たれる血液循環の良いほぐれた筋肉では、さまざまな化学反応、エネルギー代謝が活発に進みます。つまり安静にしているときに使われるエネルギーの量、基礎代謝も上がると考えられます。

一方、こわばってこり固まった筋肉は血液循環が悪く、化学反応が鈍り、温度も下がります。これが顕著になったものが「冷え性」です。熊などの冬眠をする哺《ほ》乳《にゅう》類《るい》は体温を下げることで基礎代謝量を減らして冬を乗り切りますが、血液循環が悪い冷え性の筋肉はまさにこれに近い状態。太りにくい体づくりという意味でも、血液循環の良いほぐれた筋肉の状態を保つストレッチの役割は大きいのです。

chapter 2

硬い人はここから!

体の芯をほぐす
コアドリル

伸びやすい体に変えるステップ

体のコアを動かし、芯からほぐそう！

体のコアをほぐすのが柔軟性アップへの近道

全身のストレッチに入る前に、まずおこなってもらいたいのが、体の芯にあたる〝コア〟と呼ばれる部分をほぐし、自在に動かせるようにしておくことです。

ストレッチは筋肉をゆっくりと伸ばし、伸ばす部分を脱力させることが重要だということは1章で述べたとおり（P18参照）です。このとき、コアの筋肉がリラックスしていたほうが脱力しやすく、うまく伸ばせるのです。逆にコアがこり固まっていたら体の中心に緊張がある状態ですから、周囲の筋肉もリラックスできません。

また、コアを自在に動かせることは、正しいストレッチのフォームをつくるためにも重要。コアの動きがポイントとなるものが多いからです。まずはコアを自在に動かすコアドリルで、芯からほぐれた体をつくりましょう。

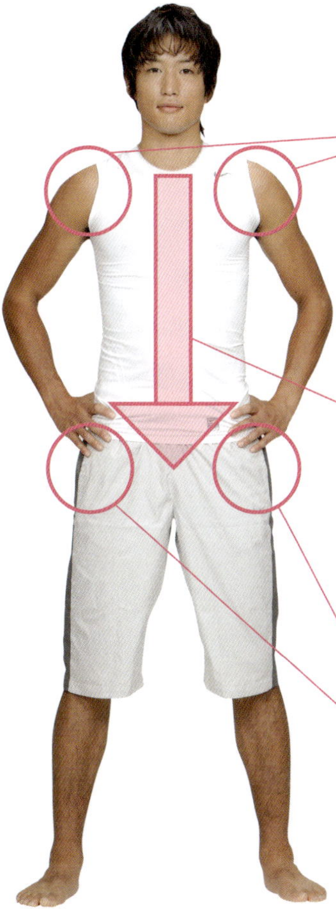

コアの3要素

コアとは英語のcore（中心・核・芯）のこと。体の中心部分を意味し、本書では次の3つに分類しています

肩甲骨（腕のつけ根部分）

腕は肩から先が動くのではなく、腕のつけ根にある肩自体から大きく動かせます。肩の後ろ側にある「肩甲骨」は、肩自体を動かすときに動く大きな骨です

肩甲骨コアドリル（P39 ～）へ

体幹《たいかん》（胴体）

「体幹」と呼んでいる部位は、いわゆる「胴体」。背骨が連なる「脊柱」と、それを下から支える「骨盤」からなります。前後左右に曲げたりひねったりと、じつはかなり大きな動きができる部位です

体幹コアドリル（P30 ～）へ

股関節（脚のつけ根部分）

脚のつけ根部分の関節が「股関節」。歩いたり走ったりする際の、脚の動作のおおもとです。ひざから先の小さな動作ではなく、太ももをつけ根から大きく振る感覚を身につけることが重要です

股関節コアドリル（P44 ～）へ

意識しにくい体幹の動き

胴体からしなやかに動かせると姿勢が改善されて腰痛予防にも

体幹（胴体）は、前後左右に曲げたりひねったりと多様な方向に大きく動かせます。しかし、腕などと違って関節の動きが自分では見にくいこともあり、自在に動かすのは難しい部位です。胴体がほとんど動かせず、ひとつのかたまりのようになっている人もめずらしくありません。そして動かさない部位ほど硬くなりやすいのです。

ここを自在に動かせないと、胴体からのしなやかで大きな動きができず、手先、足先だけの動作になりがちです。また、姿勢を支える背骨のS字カーブがうまくつくれなくなり、腰痛を引き起こすことも。これから紹介する体幹コアドリルでよくほぐし、多方向に大きく動かせる体幹本来の動きをとり戻しましょう。

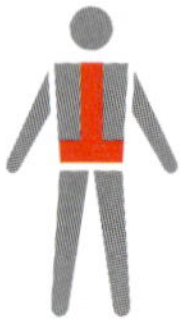

Short Column

南国系のダンスに多い体幹の動き

腰から下をゆらりと振って踊るフラダンスや、激しく腰を振るセクシーな踊りが特徴的なラテンダンス、肩・腰・胸の動きを使い分けて踊るサルサ…。南国系のダンスはどれも、脊柱・骨盤まわりを自在に動かすテクニックを駆使しています。

ウエストシェイプの効果があると話題のエクササイズ「コアリズム」も、ラテンダンスの腰を振る動きをベースに考案されたもの。脊柱・骨盤まわりの動きをスムーズにする踊りによっておなかまわりの動きを良くし、体幹を引き締める効果をねらったエクササイズといえるでしょう。

各動作の回数
ゆっくり
10回ずつ

体幹コアドリル

ほぐすのはココ

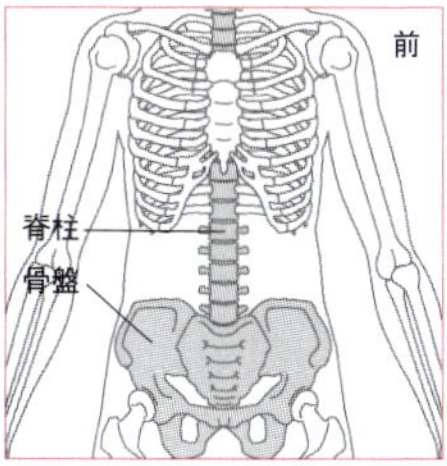

胴体を芯から支える脊柱と骨盤

脊柱とその土台をなす骨盤まわりを動かしてほぐします。胴体部分の動作が自在にできるようになると、しなやかに体を動かせます。姿勢も改善され、腰痛や疲労感の解消、おなかまわりの引き締めにも効果があるでしょう

体幹まわりをほぐすポイント

①みぞおちを中心に動かすイメージで

胴体を前後左右に曲げたり、反らしたり、回したり、といった動きでほぐします。このあたりが硬くなっている人にとっては、はじめは難しく感じるかもしれません。“みぞおちあたりを中心に動かす”イメージでおこなうと、動かしやすいはずです

②骨盤を固定して上半身を動かす

脊柱まわりを動かすドリル（P32 ～）でのポイントは、体幹の土台である骨盤（腰）を固定して、上半身だけを動かすこと。このとき土台の骨盤ごと動いてしまうと股関節を動かすドリル（P44 ～）になり、体幹の動きにはならなくなるので注意しましょう

③骨盤を動かすドリルでは肩を固定して

②と逆に、骨盤（腰）まわりを動かすドリル（P36 ～）では肩を固定して、土台部分の骨盤だけを動かすのがポイントです。動く部分と固定する部分が入れ替わっているだけで、体幹の動きとしては②と同じことになります。②、③の両方をおこない、脊柱と骨盤からなる体幹部分をほぐしましょう

1 脊柱まわりを動かしてほぐす

体幹の支柱をなす脊柱まわりを動かしてほぐすドリルです。
脚のつけ根である股関節を曲げる動きとの区別が大切！

体幹屈曲

背中を丸め、おへそをのぞきこむ

動かすコツ

みぞおちあたりを中心に、背中を丸める動きです。
ポイントは、骨盤（腰）を固定して動かさないこと。
おじぎのような、骨盤ごと前へ倒す動きと混同しないように。

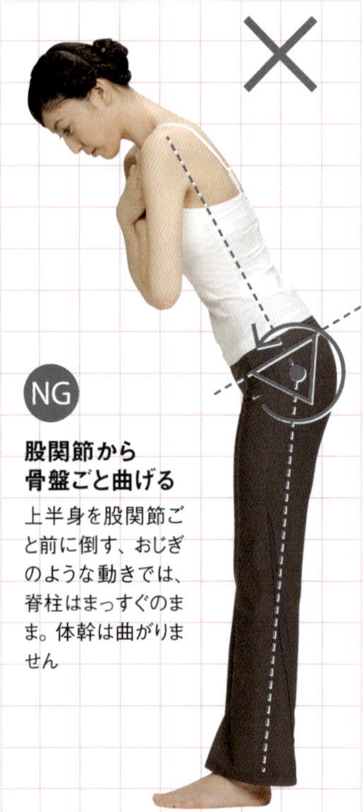

NG

股関節から骨盤ごと曲げる

上半身を股関節ごと前に倒す、おじぎのような動きでは、脊柱はまっすぐのまま。体幹は曲がりません

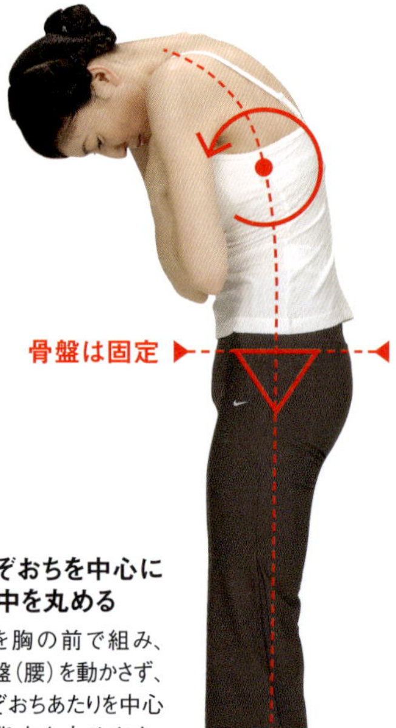

みぞおちを中心に背中を丸める

手を胸の前で組み、骨盤（腰）を動かさず、みぞおちあたりを中心に背中を丸めます。おへそをのぞきこむように

体幹伸展

胸を張って背中を反らす

動かすコツ

みぞおちあたりを中心に背中を反らします。
骨盤(腰)を固定して動かさないようにするのがコツ。
上半身を骨盤ごと反らす動きと混同しやすいので注意。

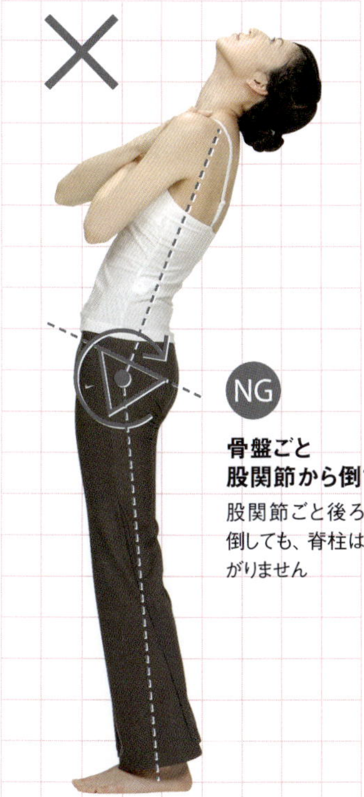

NG

骨盤ごと
股関節から倒す

股関節ごと後ろに倒しても、脊柱は曲がりません

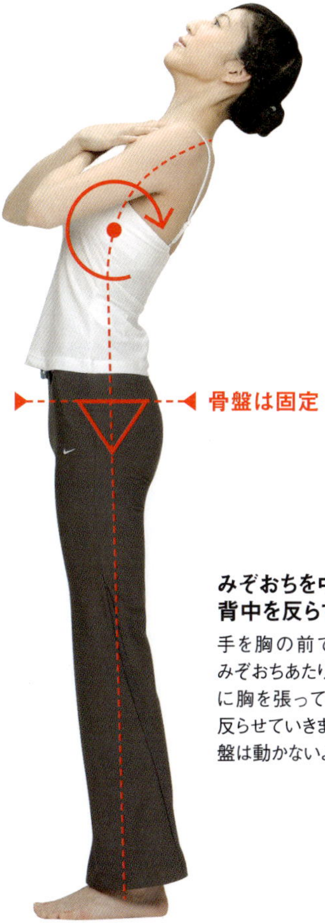

みぞおちを中心に
背中を反らす

手を胸の前で組み、みぞおちあたりを中心に胸を張って背中を反らせていきます。骨盤は動かないように

体幹側屈

腰を固定し、上半身を横に曲げる

動かすコツ

みぞおちあたりを中心に上半身を横に曲げていきます。
骨盤（腰）は固定して動かさないように。
股関節から上半身を横に倒す動きと混同しやすいので注意。

実感しにくい人は…

みぞおちの高さのわき腹に、指先を当てると意識しやすくなります。腰を動かさず、指の位置を支点に上半身を曲げてみましょう

NG

股関節から骨盤ごと倒す

上半身を股関節から横に倒しても、脊柱は曲がりません

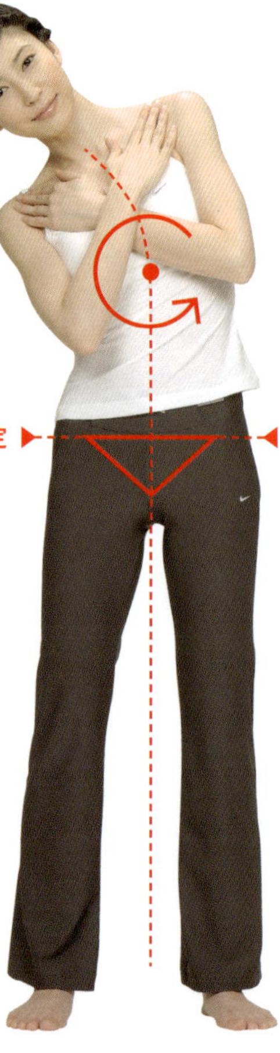

みぞおちから曲げる

手を胸の前で組み、骨盤は動かさないようにして、みぞおちあたりを中心に上半身を横に曲げます。反対側も同様に

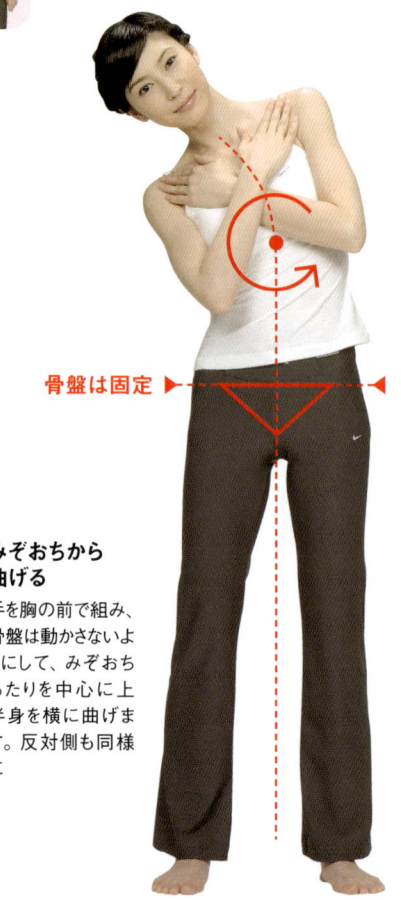

体幹回旋

腰を固定し、肩を水平に回す

動かすコツ

ポイントは骨盤（腰）を動かさずに肩を水平に回すこと。
体幹の土台である骨盤を回すと、脊柱が土台ごと回ってしまうため
ねじれません。間違えやすい動きなので要チェック。

実感しにくい人は…

イスに座っておこなうと骨盤が固定され、上半身だけをねじる感覚がつかみやすくなります

NG

骨盤ごと上半身を回す

骨盤ごと回すと、上半身が土台ごと回るだけで、脊柱はねじれません

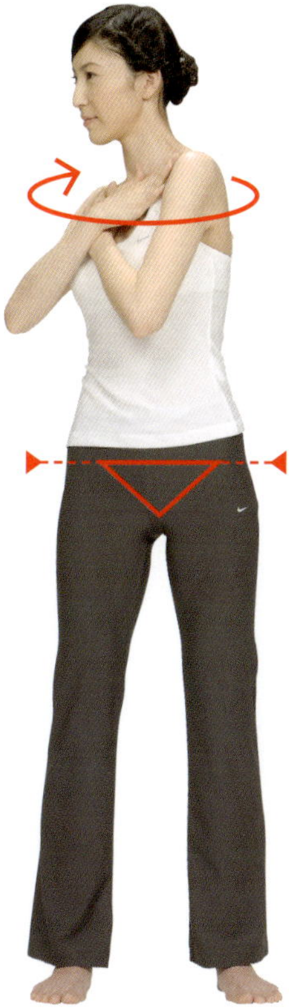

骨盤を固定して上半身をねじる

手を胸の前で組み、骨盤（腰）は動かさずに肩を水平に回して脊柱をねじります。反対側も同様に

回っているのは「腰」ではなく「胸」!

骨格の構造上、脊柱の腰の部分である「腰椎」はじつはねじれません。意外かもしれませんが「人の腰は回せない」のです。ここでおこなう体幹をねじる動きで回っているのは、じつは「胸椎」という胸のあたりの部分。無理に腰をねじろうとしてもねじれないので、骨盤ごと回るNGの動きになってしまいがちです。

2 骨盤まわりを動かしてほぐす

骨盤を前後左右に動かし、さらに回す動作でほぐしましょう。上半身をなるべく動かさず、骨盤だけ動かすようにするのがポイントです。

骨盤前傾・後傾

腰だけを前後に振る

動かすコツ

体幹の土台である骨盤に意識を向け
前後に傾ける動きです。上半身は固定して
腰だけを前後に振るようにするとうまくいきます。

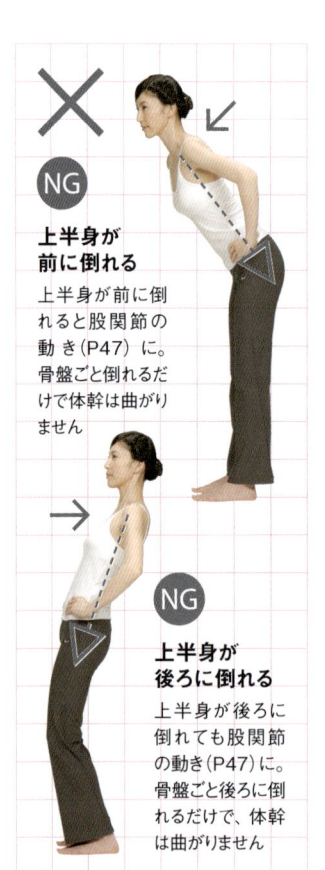

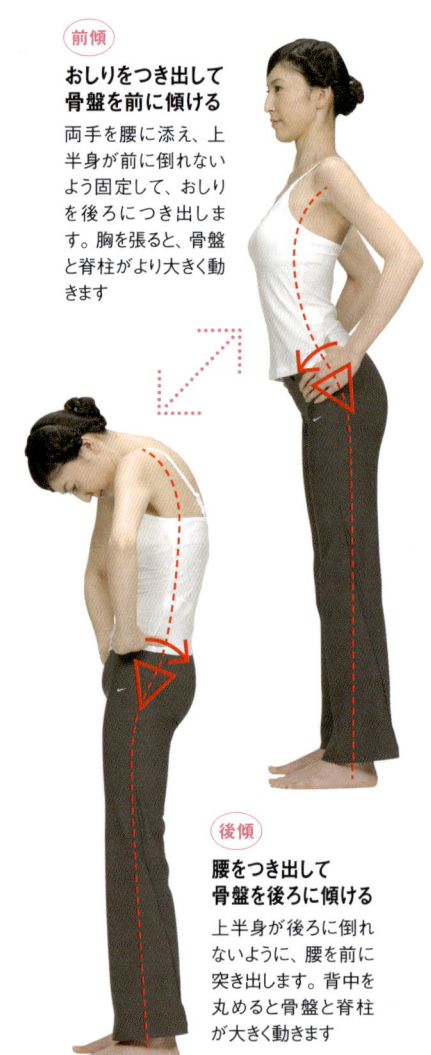

前傾

おしりをつき出して骨盤を前に傾ける

両手を腰に添え、上半身が前に倒れないよう固定して、おしりを後ろにつき出します。胸を張ると、骨盤と脊柱がより大きく動きます

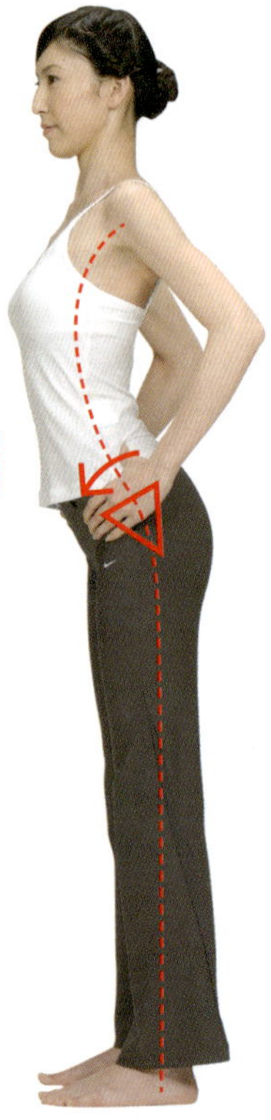

後傾

腰をつき出して骨盤を後ろに傾ける

上半身が後ろに倒れないように、腰を前に突き出します。背中を丸めると骨盤と脊柱が大きく動きます

×

NG

上半身が前に倒れる

上半身が前に倒れると股関節の動き（P47）に。骨盤ごと倒れるだけで体幹は曲がりません

NG

上半身が後ろに倒れる

上半身が後ろに倒れても股関節の動き（P47）に。骨盤ごと後ろに倒れるだけで、体幹は曲がりません

骨盤左傾・右傾

肩を固定し、腰を左右につき出す

動かすコツ

肩のラインを固定し、骨盤（腰）を左右に傾ける
サルサやフラダンスなどでよく見かける動きです。
肩は動かさず、腰だけを左右につき出すのがポイント。

実感しにくい人は…
わき腹に指先を当て、その位置を支点に腰をつき出すようにすると動きがわかりやすくなります

NG

骨盤ごと倒れる

腰につられて上半身が骨盤ごと倒れると、股関節の動き（P48）になり、体幹は曲がりません

腰を左右につき出す

手を腰に当て、肩のラインはまっすぐキープしたまま腰を横につき出すようにします。反対側も同様に

骨盤回旋

肩を固定し、腰をぐるぐる回す

動かすコツ

肩と顔の位置を動かさず、腰をぐるぐる回すのがポイントです。
腰の動きにつられて上半身も回ると、体幹部分は動かないので注意。
はじめはぎこちない動きでも、くり返すうちにスムーズな動きに!

NG

肩もいっしょに上半身ごと回す

腰の動きにつられて肩もいっしょに回す動きでは、背すじはまっすぐのまま。体幹は動きません

肩を固定して骨盤を回す

手を腰に当て、肩と顔の位置はそのまま動かさずに、骨盤（腰）をぐるぐる回します

カチコチになりやすい肩甲骨まわり

背中や肩のコリから解放される！

肩の背中側にある大きな骨、肩甲骨は胴体と腕をつないでいます。その役割は、腕のつけ根の「肩を動かす」こと。肩甲骨があるから、腕のつけ根にある肩自体から大きく動かせるのです。

肩の動きは多様で大きく、上下・前後にそれぞれ15cmほども動きます。ところが、ふだん運動をあまりしていないとカチコチに固まってしまい、ほとんど動かないという人もめずらしくありません。これでは腕を肩からスムーズに大きく動かす動作ができなくなってしまいます。肩まわりを動かせないと肩コリの原因にもなるので、このドリルで肩本来の大きな動きをとり戻しましょう。

Short Column

人形には肩を動かす肩甲骨がない

肩甲骨の存在を忘れて“腕は胴体に直接ついている”と間違って認識している人が多いようです。肩甲骨は“外から見えない”からでしょうか。

その良い例として、人形の関節構造が挙げられます。たいていの人形の腕は胴体に直接ついていて、その中間の肩の位置が動くものはまずありません。指の関節まで詳細に再現したリアルなつくりの人形でも、肩の位置が動く肩甲骨のような構造をつくるという発想はないようです。

それだけ、この「見えない関節」の存在が認識されていないということかもしれません。

各動作の回数
ゆっくり
10回ずつ

肩甲骨コアドリル

ほぐすのはココ

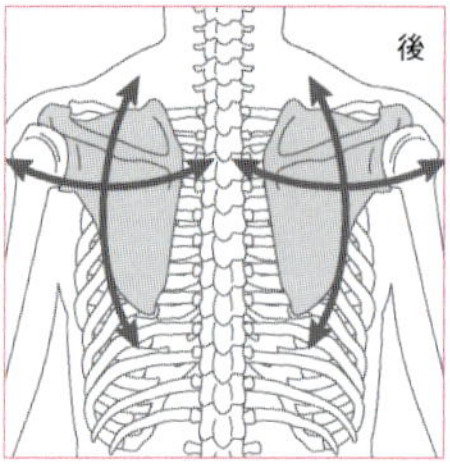

ろっ骨背面につく肩甲骨

肩甲骨は、ろっ骨の凸面にフィットする曲面状の骨。ろっ骨の背面をすべるように動き、上腕骨へと動きを伝えます。肩甲骨まわりの筋肉がほぐれると腕の動きがスムーズになり、肩や背中のコリも解消します

肩甲骨まわりをほぐすポイント

❶肩自体を大きく動かす

肩甲骨を“動かす”と言うと難しく聞こえるかもしれませんが、これは見えないうえに背中にあって意識しにくい部位だからです。肩甲骨の動きとは、要は肩を上げたり下げたり、前後へ動かしたり、回したりする動作。その際、肩甲骨を意識する必要はありません。“肩を大きく動かす”と考えれば難しくはないでしょう

❷腕の動きと連動させるとわかりやすい

腕を大きく動かそうとすると、自然にそのつけ根にある肩甲骨も動くはず。肩甲骨は、人の胴体と腕をつなぐ連結部だからです。肩を上下や前後に動かすドリルに加えて、腕の動きと連動させて肩を動かすドリルもおこないましょう。肩甲骨の動きがより実感しやすくなります

❸動かない人はだれかに動かしてもらう

肩甲骨のまわりがこり固まってしまい、肩がほとんど動かなくなっているという人も、しばしば見かけます。ドリルをおこなっても肩がほとんど動かないという人は、だれかに肩をつかんでもらい、外から動かしてもらうところから始めてもいいかもしれません

3 肩甲骨まわりを動かしてほぐす

周辺の筋肉のコリなどで固まりがちな肩甲骨は本来、とても大きく動く部位。腕のつけ根から肩全体を大きく動かしてほぐしましょう。

肩甲骨挙上・下制

肩を上下させる

動かすコツ

肩を大きく上下させるシンプルな動き。
肩甲骨は動く範囲がかなり広いのも特徴です。
まずは上下に思い切り大きく動かしましょう。

腕の動きをつけて

腕の動きをつけると、肩甲骨を上下させる動きが、より実感しやすくなります

腕を肩ごと大きく上げます。できるだけ手先を高く上げて

ひじを下へグッと引きます。このとき肩が下がる動きを意識してみましょう

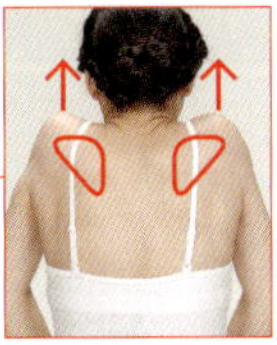

肩を大きく上げる

肩をできるだけ大きく上げます

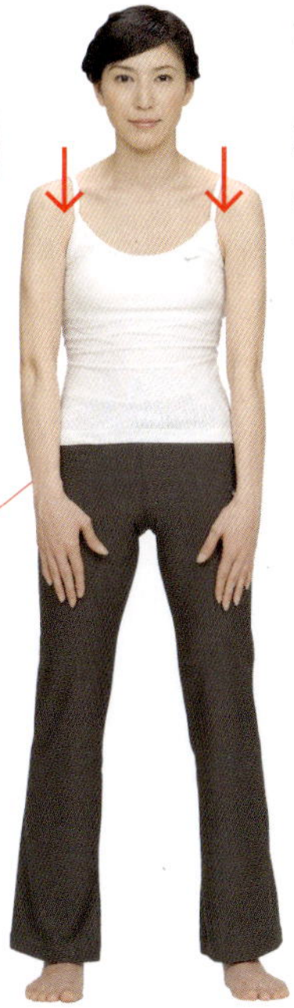

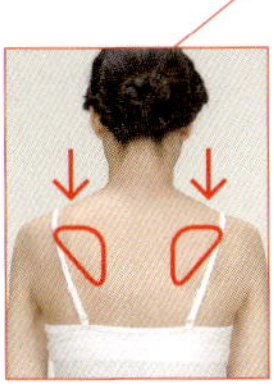

ストンと落とす

肩の力を抜いて、ストンと落とします

肩甲骨外転・内転

肩を前後に動かす

動かすコツ

肩甲骨まわりが硬くなっていると、肩はスムーズに動きにくくなります。
肩を前に出すときは背中を丸めるように、
逆に引くときは、胸を張るようにするのがコツ。

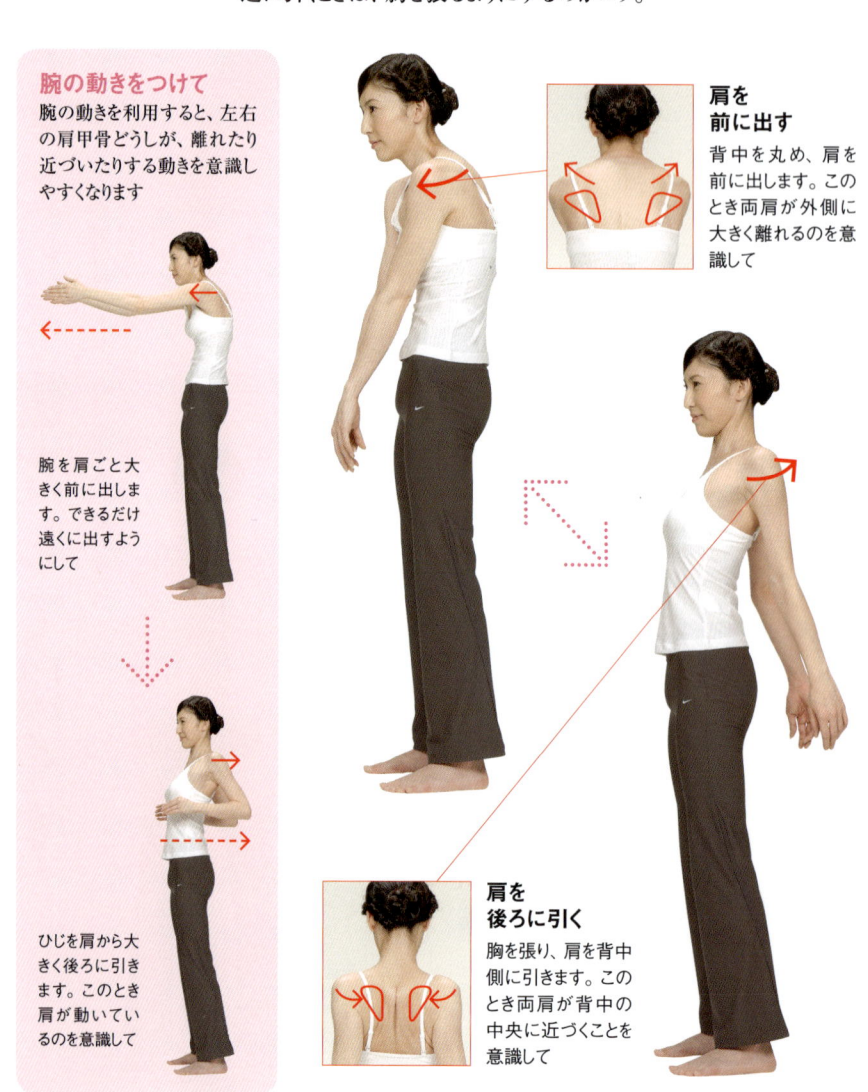

腕の動きをつけて

腕の動きを利用すると、左右の肩甲骨どうしが、離れたり近づいたりする動きを意識しやすくなります

腕を肩ごと大きく前に出します。できるだけ遠くに出すようにして

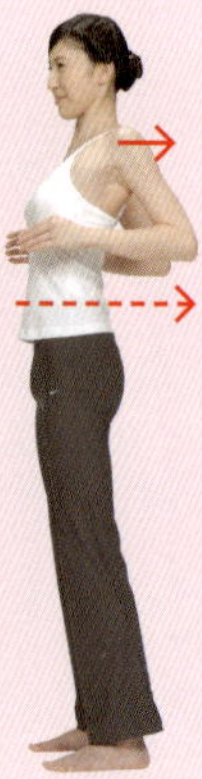

ひじを肩から大きく後ろに引きます。このとき肩が動いているのを意識して

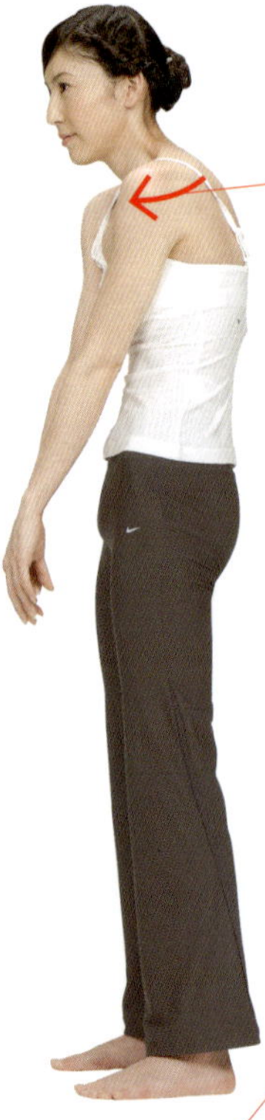

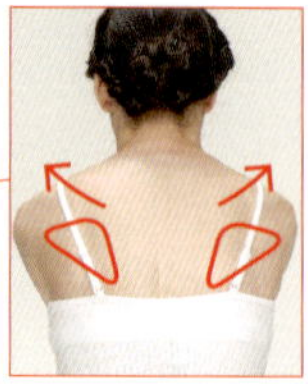

肩を
前に出す

背中を丸め、肩を前に出します。このとき両肩が外側に大きく離れるのを意識して

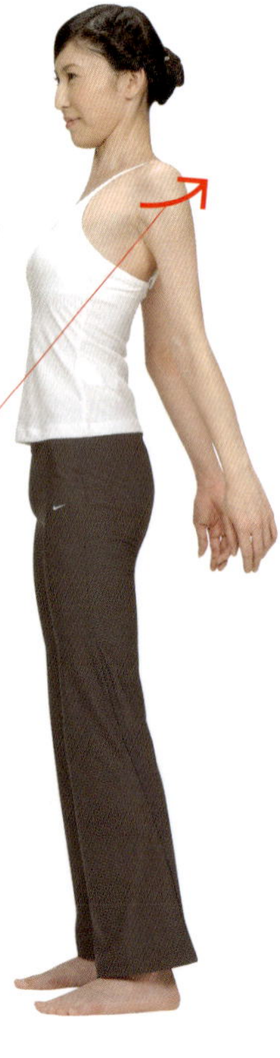

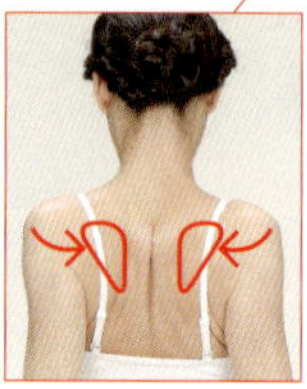

肩を
後ろに引く

胸を張り、肩を背中側に引きます。このとき両肩が背中の中央に近づくことを意識して

肩甲骨回旋

肩を回す

動かすコツ

両肩の力を抜いて回します。
できるだけ大きな円を描くようにしましょう。
はじめはゆっくり、慣れてきたら少しリズミカルに。

腕の動きをつけて

腕の動きを利用して、腕を肩から大きく回しましょう

腕を大きく上げ、大きな円を描くように肩から回します

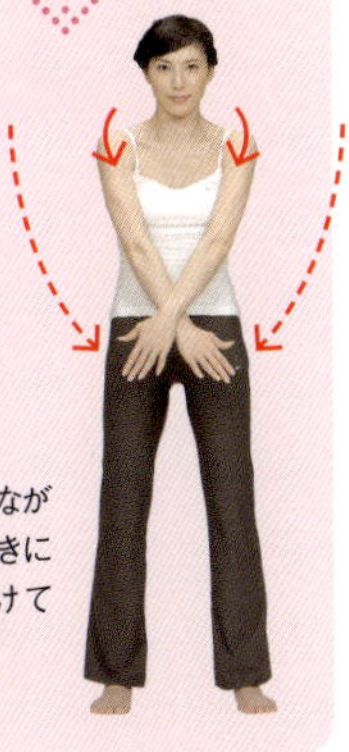

何度か回しながら、肩の動きに意識を向けてみましょう

左右の肩を大きく回す

肩の力を抜いて、大きく回します

日ごろから活躍させたい股関節の動き

ほぐれると「歩く・走る・跳ぶ」動きがスムーズに

股関節の動きとは、脚をつけ根から前後・左右に振る動作のこと。肩甲骨と並んで、日常生活やスポーツシーンでその重要性を強調されることが多い部位で、歩く、走る、跳ぶなど、脚を使うほとんどの動作で使われます。しかし〝意識しやすい〟ひざや足首の動きに比べ、股関節の動きは〝意識しにくい〟ため充分に使われず、動きが硬くなってしまうことが多いようです。

股関節が充分に動かせないと、下半身の動作がひざから下だけのちょこまかとした小さな動きになってしまいます。脚をつけ根からしっかり大きく動かす下半身の本来の動作を、このドリルで確認しましょう。

Short Column

立ち上がるときはひざを伸ばす？

イスから立ち上がるときに働く関節はどこですか？　とたずねると、たいていの人は「ひざ」と答えるのではないでしょうか。実際はひざだけでなく、股関節も大きく動いているのですが、そのことはあまり認識されていません。「ひざを伸ばして立ち上がりましょう」とは言っても「股関節を動かして立ち上がりましょう」とは、まず言わないでしょう。

同じようにサッカーでボールを蹴る脚の動きも、ひざを伸ばす動きと認識されがちですが、実際には股関節も大きく動いています。それだけ股関節の動きは意識されにくいということですね。

各動作の回数
ゆっくり
10回ずつ

股関節コアドリル

ほぐすのはココ

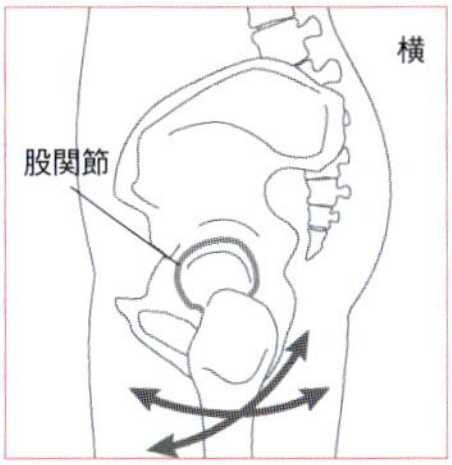

脚をつけ根から動かす股関節

股関節は、脚をつけ根から前後左右に振る動きをになう関節。骨格で言うと、骨盤に対して大腿骨を動かす働きをします。股関節まわりがほぐれれば脚の動きがスムーズになり、下半身の動作が大きくなります

股関節まわりをほぐすポイント

❶つけ根から大きく動かす

脚をつけ根の股関節から、大きく動かすことを意識しておこないます。ひざから下だけを動かすような、ちょこまかとした動きではNG。「股関節コアドリル」で股関節から脚を大きく動かす感覚をつかんだら、歩いたり、走ったりするときもその動きを意識してみましょう

❷あらゆる方向に動かす

股関節はあらゆる方向に動かせる球状の関節（球関節）で、動きの自由度が高い構造です。そのため前後左右のほか、回す、ねじるなど、あらゆる方向へ自在に動かせます。その特徴をふまえて、このドリルでも股関節を多方向に動かしていきます

❸体幹の動き（P32 ～）と区別する

脚をつけ根から動かす股関節の動作を、脚を動かさずにおこなうと、体幹のほうが動きます。このときのポイントは、脚のつけ根を支点に上半身は背すじを伸ばして動かさないようにすること。みぞおちあたりから動作する体幹の動きとは区別してください

4 股関節まわりを動かしてほぐす

脚をつけ根からあらゆる方向に動かす働きをする股関節。
できるだけ大きく動かしてほぐしましょう。

股関節屈曲・伸展

脚をつけ根から前後に振る

動かすコツ

脚を振る動作を、ひざから下で小さくおこなうのではなく
つけ根からしっかり大きく動かすのがポイントです。
ふだん意識しにくい股関節の動きを確認しましょう。

NG

上半身が後ろに倒れる

脚の動きにつられて上半身が後ろに倒れてしまうと、股関節の動きが小さくなります

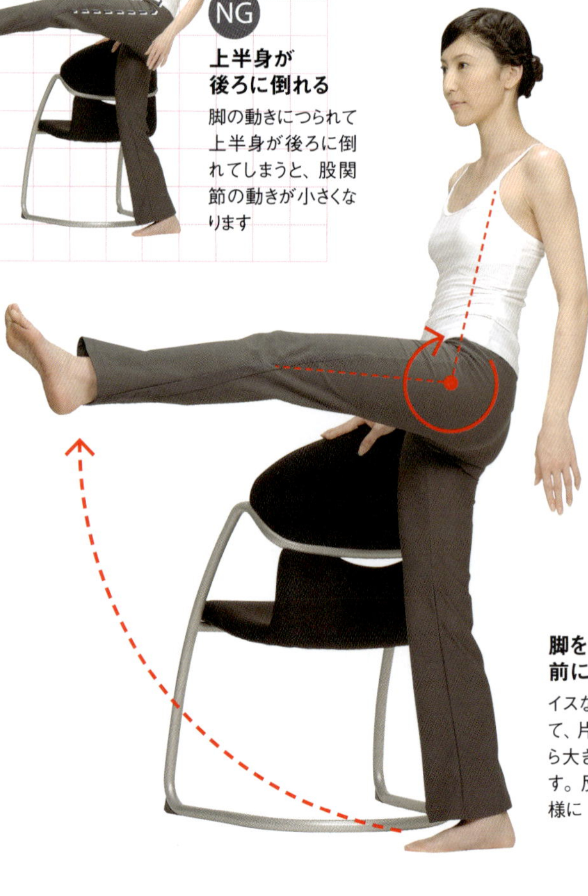

脚をつけ根から前に振る

イスなどにつかまって、片脚をつけ根から大きく前に振ります。反対の脚も同様に

脚を固定しておこなう

脚を固定して上半身を股関節から前後に動かす方法。P32、33の脊柱を前後に動かす動きとの違いをチェックして

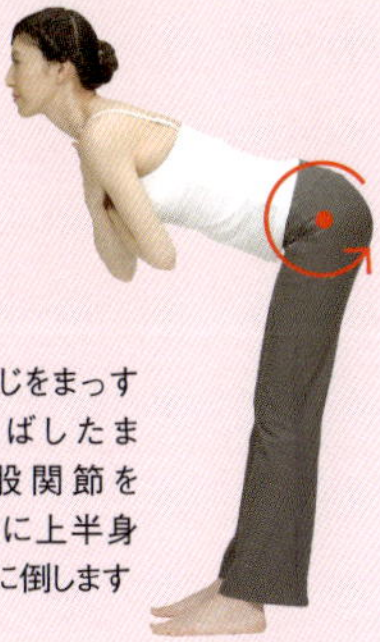

背すじをまっすぐ伸ばしたまま、股関節を支点に上半身を前に倒します

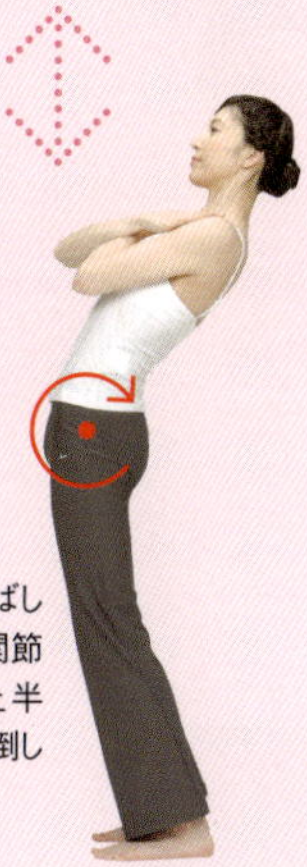

背すじを伸ばしたまま、股関節を支点に上半身を後ろに倒します

NG 上半身が前のめりになる

脚の動きにつられて上半身が前のめりになると、股関節の動きが小さくなってしまいます

脚をつけ根から後ろに振る

イスにつかまったまま、片脚をつけ根から大きく後ろに振ります。反対の脚も同様に

股関節内転・外転

脚をつけ根から左右に振る

動かすコツ

正しい動きのポイントはP46、47の脚を前後に振る動作と同じ。
ひざから下だけをブラブラ振る動きではなく、
脚のつけ根から動かすことを意識して、左右に大きく振りましょう。

NG

上半身が横に倒れる

脚の動きにつられて上半身が横に倒れると、股関節の動きが小さくなってしまいます

脚のつけ根から内側に振る

イスなどにつかまり体を安定させ、脚をつけ根から大きく内側に振ります

脚を固定しておこなう

下半身を固定して上半身を脚のつけ根から左右に動かす方法。P34の脊柱を左右に曲げる動きとの違いを意識しましょう

背すじを伸ばしたまま、股関節を支点に上半身を横に倒して

同様に背すじを伸ばしたまま、反対側に上半身を倒します

NG **上半身が横に倒れる**

脚の動きにつられて上半身が横に倒れると、股関節の動きが小さくなります

脚のつけ根から外側に振る

イスを持ったまま上半身は動かさずに、脚をつけ根から大きく外側に振ります。反対の脚も同様に

股関節内旋・外旋

脚を左右にねじる

動かすコツ

股関節は脚を前後左右に振るだけでなく、ねじる動きもできます。
脚のつけ根からできるだけ大きくねじってつま先を回します。
このとき上半身がつられて動かないように固定して。

NG

つられて上半身が回る

足の動きにつられて上半身が回ると、股関節の動きが小さくなってしまいます

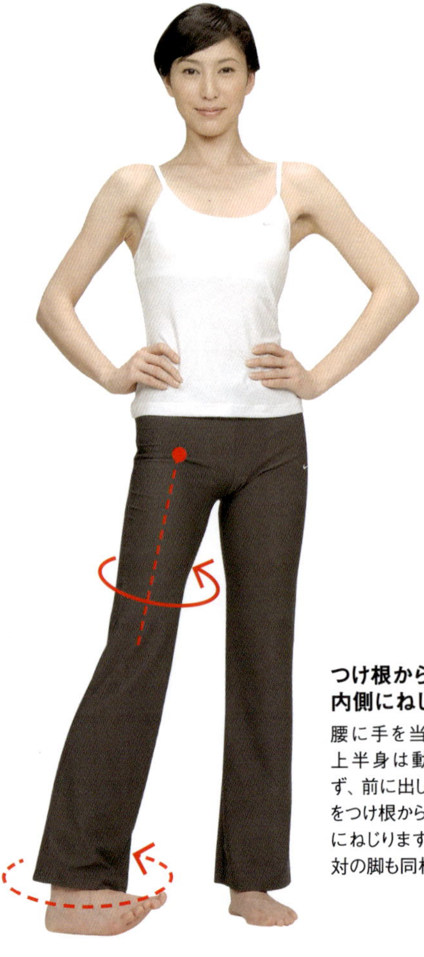

つけ根から内側にねじる

腰に手を当てて上半身は動かさず、前に出した脚をつけ根から内側にねじります。反対の脚も同様に

NG

つられて上半身が回る

足の動きにつられて上半身が回ると、股関節の動きが小さくなってしまいます

脚をつけ根から外側にねじる

両手を腰に当て、上半身はそのままで、前に出した脚をつけ根から外側にねじります。反対の脚も同様におこないます

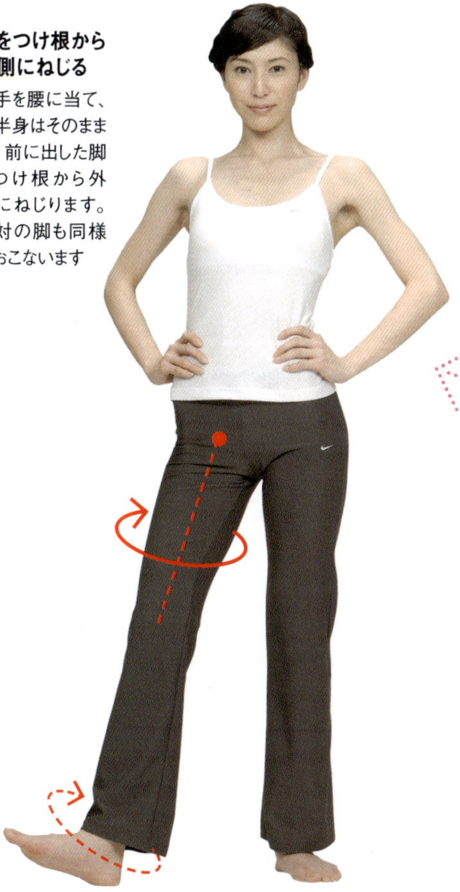

軸足を固定しておこなう

軸足を固定し、軸足に対して腰から上を回す方法です

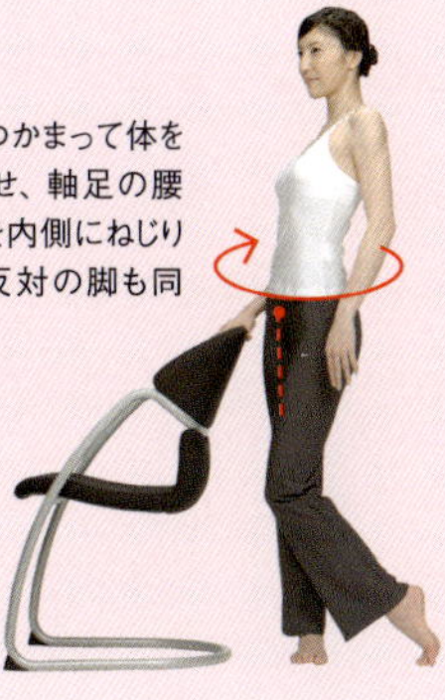

イスにつかまって体を安定させ、軸足の腰から上を内側にねじります。反対の脚も同様に

イスにつかまったまま、軸脚の腰から上を外側にねじって。反対の脚も同様に

マッサージベッドがうつぶせのわけ

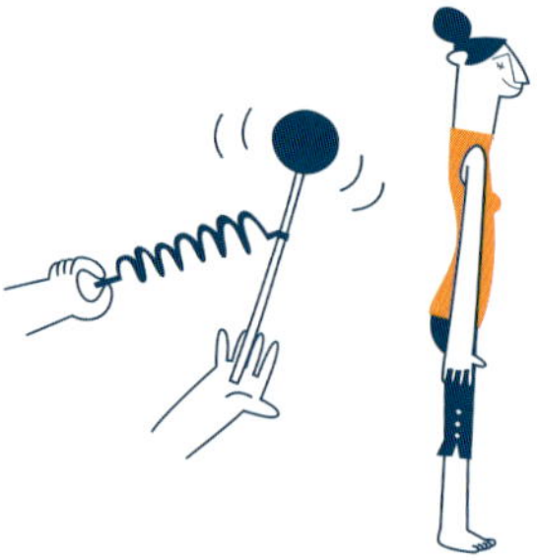

体の背面の筋肉は、ふだんから酷使されて疲れがたまりやすい部分です。なぜなら背面の筋肉は、立ったり座ったりしている人の姿勢を、つねに後ろから支え続けているからです。人は直立姿勢のとき、足首から前に出ている部分を含めるとＬ字形をしています。直立とは言いながら、実際にはやや前かがみの姿勢になっているのです。この体勢は、倒立振り子を後ろから引っ張って支えるのと似ています。人の体も、この倒立振り子と同様に、背中の筋肉がつねに働いて、後ろから姿勢を支えているのです。

座っているときはひざが前に出て、立っているときよりも前かがみが強くなるため、背面の筋肉への負担はさらに増します。こうして、立っていても座っていても、背面の筋肉は姿勢を維持するために長時間使われて、疲れやコリがたまりやすくなるというわけなのです。

マッサージ台が、決まってうつ伏せに寝る形状になっているのも、背面の筋肉をしっかりほぐす必要があるからなのでしょう。

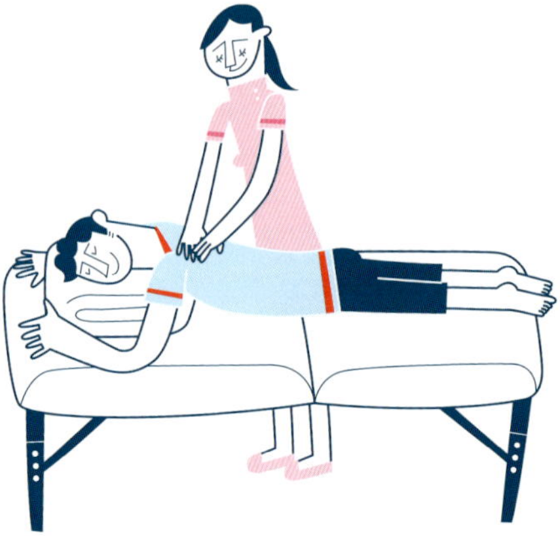

chapter 3

どんどんやわらかくなる!

ストレッチ5つのコツ

科学的根拠をふまえれば効果がグンと高まる!

もっと伸ばすための5つのコツ

一般的なストレッチの方法は、いたってシンプル。筋肉がつく関節を曲げられるところまで曲げる、もしくは関節が伸びるところまで伸ばすだけです。ところが、筋肉の構造にはやや複雑なところがあり、ストレッチのポーズをとって、ただ伸ばすだけでは充分とは言えません。もっとしっかり伸ばすには、筋肉の解剖学的構造や生理特性をふまえた工夫が必要です。同じ時間ストレッチしたとしても、それらのコツを押さえていれば得られる成果は大きく上げられるのです。漠然とフォームをまねているだけでは、筋肉は充分には伸ばせません。同じ時間を使うなら、効果の高い方法でおこないたいものです。この章からは、次の5つのコツを駆使した〝もっと伸ばす〟ための具体的なストレッチ方法を紹介していきます。

もっと伸ばす コツ 1

コアを自在に操作する

体幹、肩甲骨、股関節など前章で紹介した「コア」の動きが必要な種目も多いので、ここを自在に操れることが大切。また、コアからリラックスすることは筋肉を脱力させる近道なのです

もっと伸ばす コツ 2

筋肉の構造特性に合わせる

筋肉の種類によって、そのつき方はさまざま。筋肉と関節の構造に合わせて関節の曲げ方や伸ばし方を工夫することで、ストレッチ効果はアップ。ただ曲げるだけ、伸ばすだけではダメ!

もっと伸ばす コツ 3

基部を固定して逃がさない

ストレッチ中の体は、筋肉が伸ばされることから“逃げて”ごまかそうとしてしまいがち。筋肉の一端をしっかりロックした姿勢をキープして、もう一端を伸ばすフォームにすることが重要です

もっと伸ばす コツ 4

テコの原理を利用する

ストレッチをするときに持つ手の位置で、伸ばす力は変わります。曲げたい関節や、伸ばしたい関節からできるだけ遠くを持ち「テコの原理」を利用すれば、よりラクに、強く伸ばせます

もっと伸ばす コツ 5

ラクな姿勢でゆっくり伸ばす

筋肉はリラックスして脱力させることが大事。そのためストレッチは、寝た姿勢か座った姿勢でおこなうのがベスト。安定した姿勢で、痛気持ちいいところまでゆっくり伸ばしましょう

もっと伸ばすコツ 1

コアを自在に操作する

コアを自在に操作することは、ストレッチを上手におこなううえでの重要なポイントに。ストレッチには、コアの部分である体幹や股関節、肩甲骨（肩）を動かす種目が多くあるからです。とくにポイントとして押さえておきたいのは〝体幹動作〟と〝股関節動作〟の区別です！

たとえば「広背筋《こうはいきん》」を伸ばす場合…

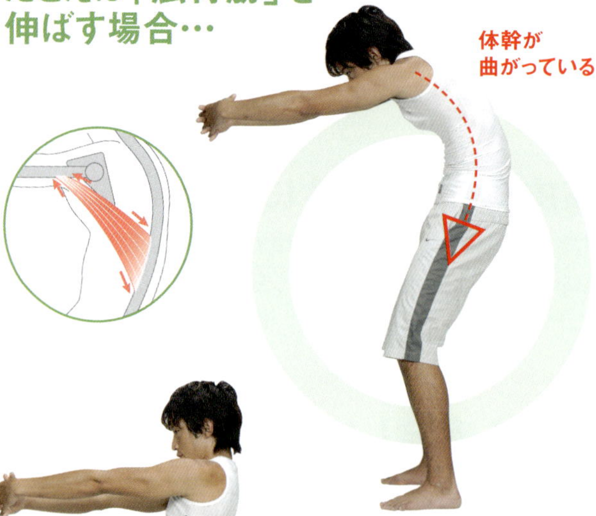

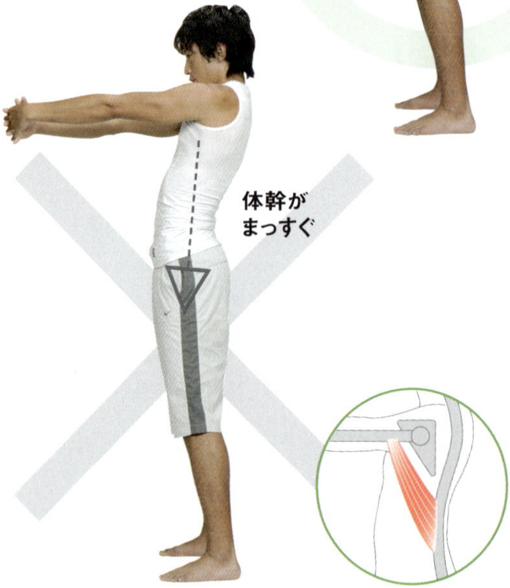

腕と肩を前に出し、背中を丸めると伸びる!

背中につく「広背筋」は、腕を後ろに引く働きに加えて、腕を介して肩を後ろに引く働き（肩甲骨内転）と、背中を反らす働き（体幹伸展）をする筋肉。そのため、広背筋のストレッチでは、腕を前に出すだけではあまり伸びません。充分に伸ばすポイントは肩を大きく前に出し（肩甲骨外転／P42）、背中を丸める（体幹屈曲／P32）こと。前章で紹介したコアの動作が必要になります

たとえば「ハムストリングス」を伸ばす場合…

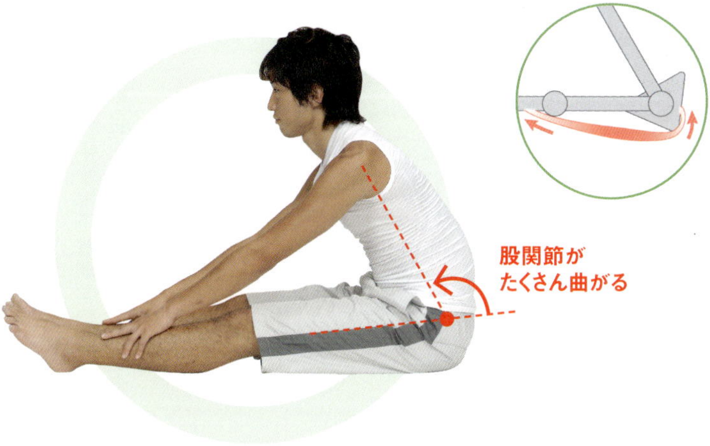

背すじを伸ばし、股関節から曲げると伸びる!

太もも裏側につく「ハムストリングス」のストレッチでは、上半身を脚のつけ根である股関節から曲げる動きがポイント。ハムストリングスがひざ関節と股関節に引っ張られ、しっかり伸ばせます。一方、背中を丸めて体幹を曲げる動きでは、背中の筋肉は伸びますが、太もも裏側はあまり伸びません。曲げる支点が股関節なのか体幹なのかをふまえた、コアの操作が重要です

ストレッチのコツ 2

筋肉の構造特性に合わせる

筋肉はその種類によって、さまざまな構造をもっているものです。
それをうまく伸ばすには、解剖学的構造の特性に合わせることが必要。
単純に関節を曲げるだけ、伸ばすだけのストレッチでは充分ではないのです！

特性1 腕と脚のつけ根の筋肉は多方向に伸ばす！

腕や脚のつけ根にある肩関節と股関節は、あらゆる方向に動く「球関節」という球形の構造をもつ関節です。球関節のまわりにつく筋肉も、それに合わせて多方向に動く扇状の構造をしています。

それらをしっかりストレッチするには、扇状の筋肉の動く方向に合わせて多方向に伸ばす「多方向ストレッチ」が効果的。大胸筋（P96）のほか、広背筋（P98）や三角筋（P102）などの腕のつけ根にある筋肉や、大臀筋（P72）などの脚のつけ根にある筋肉には「多方向ストレッチ」が必要です。

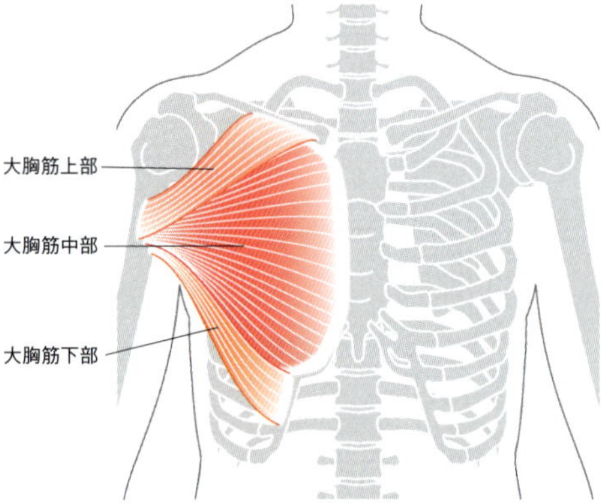

たとえば上腕を動かす「大胸筋」を見ると、筋肉の走行方向は斜め上向きから斜め下向きまで、扇状に広がっています。ストレッチは上部、中部、下部の3つに分けておこないます

たとえば「大胸筋」を伸ばす場合…

大胸筋下部のストレッチ

大胸筋中部のストレッチ

大胸筋上部のストレッチ

筋肉の向きに合わせて3方向に伸ばす

上腕を動かす「大胸筋」は、腕のつけ根に扇状に広がる構造。全体をしっかり伸ばすには、多方向に引っ張る必要があります。ここでは扇状に広がる筋肉の走行方向に合わせて、上部、中部、下部の3方向に分けて伸ばします

特性2 腕と脚に多い「二関節筋」は2つの関節を遠ざけて伸ばす!

人の筋肉の多くは、ひとつの関節をまたいでその関節を動かす働きをします。しかし、なかには2つの関節をまたぐ「二関節筋」という構造の筋肉も存在します。この二関節筋は、おもに体の中心部の力を末端に伝えていく働きがあり、腕や脚に多い筋肉です。このような二関節筋をきちんとストレッチするには、ひとつの関節だけでなく、その筋肉につく2つの関節を遠ざける「二関節ストレッチ」が必要です。

たとえば、ふくらはぎの表面をおおう「ヒフク筋」は、右図のように、ひざ関節と足関節にまたがっている二関節筋です。しっかり伸ばすには、足首を曲げる動作と、ひざを伸ばす動作の両方を同時におこなう必要があります

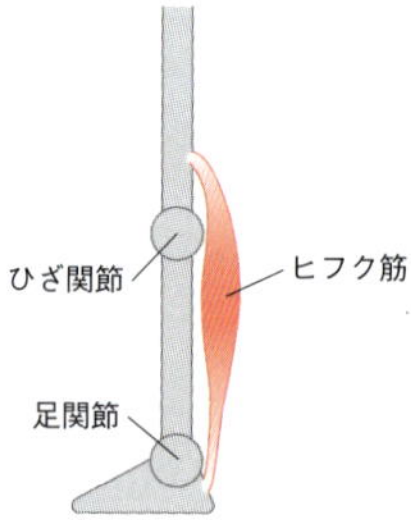

たとえば「ヒフク筋」を伸ばす場合…

ひざ関節と足関節の2つの関節にまたがってつくヒフク筋を伸ばすストレッチでは、足首を曲げ、同時にひざを伸ばす動作が必要。足首を曲げても、ひざが曲がるとヒフク筋はゆるんでしまって、あまり伸ばせません

特性 3 ほかの筋肉をゆるめることで もっと伸ばせる筋肉がある

ひとつの関節を動かす筋肉は、ひとつだけとは限りません。ひとつの関節動作に対して、いくつもの筋肉が働いていることも多くあります。このような場合、ふつうにストレッチをおこなうと、その関節動作の制限になっている筋肉は限界まで伸ばされますが、伸ばしたい別の筋肉が充分伸ばせないことが…。標的とする筋肉をきちんとストレッチするには、その筋肉が伸びて、その関節動作に働くほかの筋肉はゆるむように、フォームを工夫する必要があります。

たとえば、股関節を後ろに振る働きをする筋肉、おしりの「大臀筋」と太もも裏側の「ハムストリングス」。この2つの違いは、ハムストリングスは股関節とひざ関節をまたいでいてひざを曲げる働きもある二関節筋であるのに対し、大臀筋は股関節伸展のみに働く単関節筋であることです。この特性の違いを利用すれば、標的の筋肉にねらいを定めて伸ばせるのです

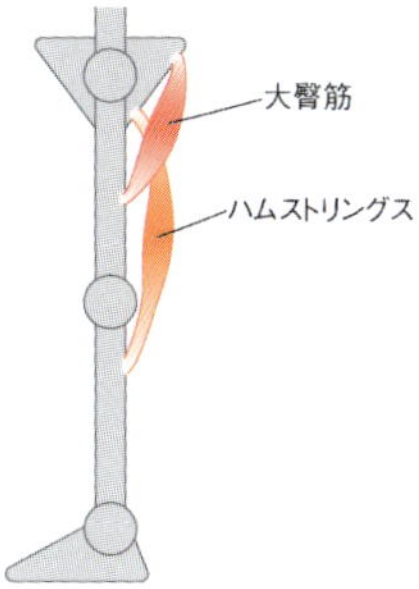

たとえば「大臀筋《だいでんきん》」を伸ばす場合…

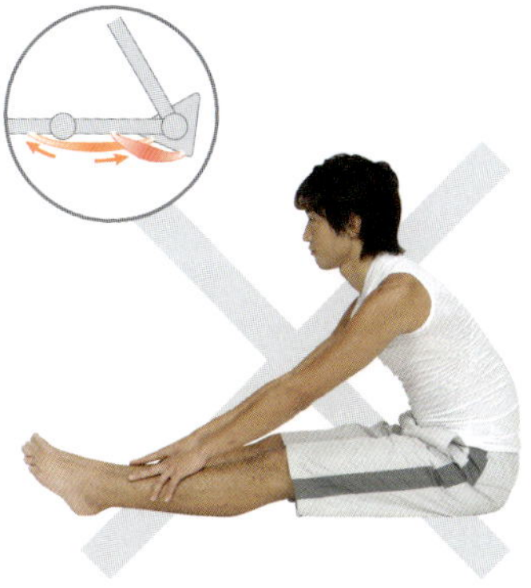

大臀筋をしっかり伸ばすには、ひざを曲げてハムストリングスをゆるめてから前屈します。逆にひざを伸ばして前屈すると、大臀筋ではなく二関節筋のハムストリングスがよく伸びます

ストレッチのコツ 3

基部を固定して逃がさない

筋肉を充分に伸ばすためには、筋肉の〝両端〟をしっかり遠ざけ合う動きが必要。そのためストレッチでは、筋肉がつく一端である〝基部〟をしっかり固定したうえで、もう一端を伸ばすようにするフォームがポイントに。こうしないと体は、自然にストレッチから〝逃げる〟方向に動いてしまいがちなので要注意！

たとえば「三角筋」を伸ばす場合…

肩のラインを固定すると伸びる!

ひじをもう片方の手で引き寄せて伸ばす、三角筋（肩の筋肉）のストレッチ。三角筋がついている肩の位置を固定し、逃げないようにするのがコツです

ほかにもいっぱい! 体は知らず知らず逃げてしまっている

「内《ない》・外腹斜筋《がいふくしゃきん》」のストレッチ

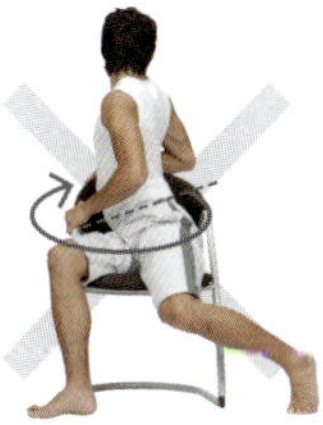

内・外腹斜筋(わき腹の筋肉)は、イスに座って上半身だけをねじるストレッチで伸ばせます。上半身につられて腰が回ってしまうと、あまり伸びません

「腰方形筋《ようほうけいきん》」のストレッチ

腰方形筋(わき腹〜腰の筋肉)を伸ばすには、体幹を湾曲させる動きをします。やはり上半身につられて腰が浮いてしまうと、あまり伸びません

肩が回って逃げると伸びない

ひじを引く方向に体が回ってしまうと、三角筋はあまり伸びません。体は筋肉が伸ばされる方向から、"逃げる"動きをしがちなので注意しましょう

ストレッチのコツ 4

テコの原理を利用する

ストレッチをするときに力を加える位置によって、伸ばす力は違います。
同じ力を加えるなら、テコが長いほど大きな力が発揮できるという「テコの原理」をストレッチに応用。
曲げる関節、伸ばす関節から遠くを持って長いテコを使うほど、ラクに強く伸ばせるのです。

遠くを持つほど「テコの原理」でラクに強く伸ばせる!

同じ力を加えるなら、テコが長いほど大きな力が発揮できるというのが「テコの原理」。ストレッチにもその原理を応用します。

筋肉を伸ばすためには、できるだけしっかりとその筋肉にかかわる関節を曲げる、もしくは伸ばすことが大切。その際、関節を動かすために持つ手の位置は、力の支点となる関節からできるだけ離れた部位にして力を加えます。するとテコが長くなり、少ない力でも大きく伸ばす力を発揮できます。

たとえば「ヒラメ筋」を伸ばすときには…

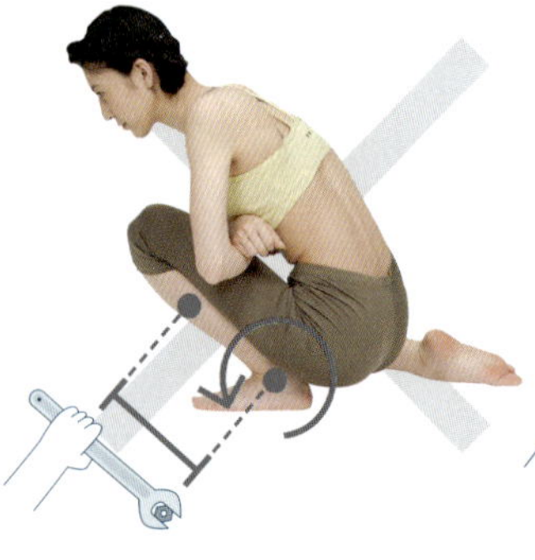

テコが短い

脚を押す腕が足首から近い位置にあると、テコの長さが短くなり、右と同じ力で押しても、ヒラメ筋を伸ばす力はそのぶん、小さくなってしまいます

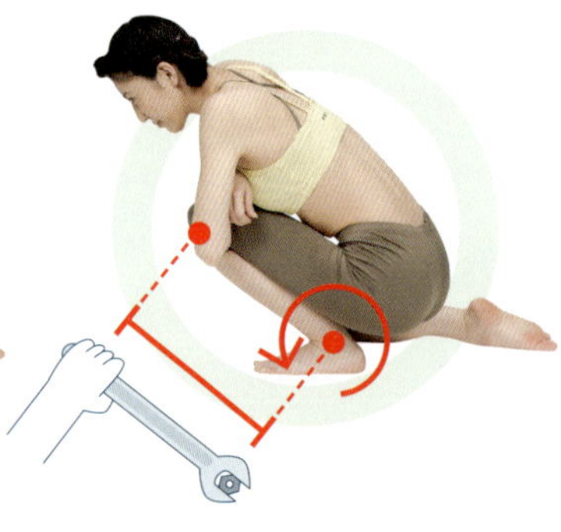

テコが長い

ふくらはぎにあるヒラメ筋を伸ばすには、脚に体重をかけて足首を曲げる動作が必要。このとき腕を足首から離れたひざ頭にのせると、テコが長くなりよく伸びます

たとえば「大腿四頭筋」を伸ばす場合は…

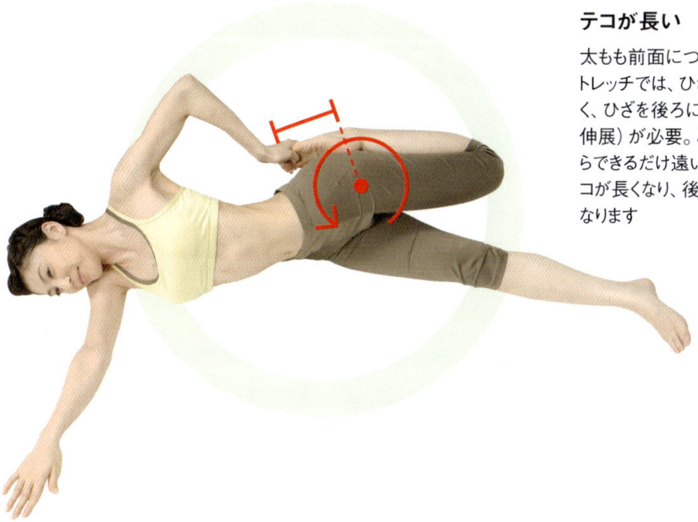

テコが長い

太もも前面につく大腿四頭筋のストレッチでは、ひざを曲げるだけでなく、ひざを後ろに引く動作（股関節伸展）が必要。このとき、股関節からできるだけ遠いつま先を持つとテコが長くなり、後ろに引く力が大きくなります

テコが短い

足首を持つと、股関節から手元にかけてのテコが短くなります。同じ力で引いても、ひざを後ろに引く力は小さくなります。ひざを引けなければ、太もも前面につく大腿四頭筋はあまり伸ばせません

ストレッチのコツ 5

ラクな姿勢でゆっくり伸ばす

ストレッチは伸ばす筋肉を脱力できる、ラクな姿勢でおこなうのが基本。
また、痛いほど無理やりグイグイ伸ばすと筋肉に力が入ってしまい、かえって逆効果です。
リラックスしてゆっくりと、〝痛気持ちいい〟ところまで伸ばすようにしましょう。

リラックスできる安定した姿勢でおこなう

ストレッチの際、筋肉に力が入ってしまうと、それだけ伸びにくくなります。力が入らない、できるだけリラックスできる“安定した姿勢”でおこなうことが大切です。

本書では、安定したうえにリラックスできる、座った姿勢、寝た姿勢でおこなう方法を優先的に紹介しています。立っておこなう場合は壁やイスに手をつくなどして、体を安定させるといいでしょう。

寝た姿勢だと脱力しやすい

寝ておこなうストレッチは、リラックスして筋肉を脱力させやすいというメリットがあります

グラグラすると脱力できない

姿勢が安定せずグラグラしてしまうと、筋肉を脱力するのが難しくなります。壁やイスに手をついて、体を支えましょう

Short Column

「脱力する」ためには“裏ワザ”を

ストレッチでは、筋肉の力を抜くことが大切です。筋肉は縮む方向に力を発揮するので、脱力しているほど、よく伸ばせるからです。とはいえ「力を入れる」のは簡単にできますが、この「力を抜く」という行為はなかなかわかりにくく、難しいものです。そこで、比較的簡単に脱力できる「筋弛緩法」というテクニックを紹介しましょう。

筋弛緩法は、筋肉に一度グッと強く力を入れてから、その力を抜くというものです。いきなり筋肉を脱力するよりも、力を入れたあとのほうが脱力しやすくなるのです。力を入れることで、筋肉の力の出し入れを意識しやすくなるからでしょう。

ストレッチをする筋肉にどうしても力が入ってしまうという人は、このテクニックをとり入れてみるといいでしょう。

痛気持ちいいところまでゆっくり伸ばす

ストレッチは勢いをつけず、ゆっくりおこなうのが基本。勢いをつけると「伸張反射（P19）」が起こり筋肉の伸びが制限されてしまうため、この反射が起こらないようにゆっくり伸ばすと良いのです。また、筋肉は痛いほどに強く伸ばされると、それ以上伸ばされまいと逆に縮もうとして力が入る性質も。

むりに伸ばすことはケガの原因にもなり、伸ばそうと力みすぎると筋肉がリラックスしにくくなってしまいます。力ずくではなく、筋肉が伸びて“痛気持ちいい”ところでとめるのが正解。

呼吸は止めずに吐きながら

筋肉を伸ばす動作に必死になるあまり、息を止めて気張ってしまう人をたまに見かけますが、これはNG。神経が興奮し、筋肉のリラックスを妨げてしまうため、心身ともにマイナスです。

呼吸は自然にゆっくりと、その際、吐く息を意識しておこなうといいでしょう。深い呼吸で鼻から吸い、「フー」と口からゆっくり吐いていきます。

Column

ストレッチ前には筋肉を温めよう!

筋肉の材質としての伸びやすさは、筋肉の温度にも依存します。筋肉には、温かいと伸びやすく、冷えると伸びにくくなるという性質があるのです。

そのためストレッチをおこなう際は、事前に軽めの体操で筋肉を動かしてよく温めておくと、筋肉がより伸びやすい状態に導けて効果的です。お風呂上がりも、筋肉が温まっているのでいいでしょう。入浴によるリラックス効果で筋肉が脱力しやすい状態になっている点も、ストレッチのタイミングとして適していると言えます。

逆に、冷えた筋肉をいきなり強く伸ばすと、筋肉を傷めかねません。事前に筋肉を動かしてよく温めることで、痛みなく安全に“気持ちいい”ストレッチがおこなえるはず。軽いウォーキングやジョギングをしたり（P158)、腕を大きく回したり（P141)、脚を屈伸したりするのがストレッチ前の準備体操としておすすめです。

chapter 4

5つのコツでよく伸びる!

部位別 ストレッチ・メソッド

●ストレッチのコツをマークで示しています!

この章では、各ストレッチの動作のポイントが前章で紹介したコツのどれに該当するかを次のマークで示してあります

コアの操作 ➡ くわしくはP 56参照
筋肉の特性 ➡ くわしくはP 58参照
基部の固定 ➡ くわしくはP 62参照
テコの原理 ➡ くわしくはP 64参照

●伸びる部位を Stretch! で示しています!

マークで示した部位を意識しながらストレッチをおこないましょう

ストレッチをおこなう際に

- ストレッチの基本動作は、筋肉をリラックスさせて“痛気持ちいい”ところまで伸ばし、その状態で10 ~ 20秒静止するという方法です
- ただし無理は禁物。筋肉に強い痛みや不快感があるときはおこなわないようにしましょう
- はじめは筋肉が“伸びている”感じがわかるくらいから、体を慣らしていきましょう

筋肉の伸びを 実感しにくいときは…

ストレッチの最中に伸びている筋肉を手でさわるタッチ法を試して。筋肉を意識することで、最適なフォームを見つけやすくなります

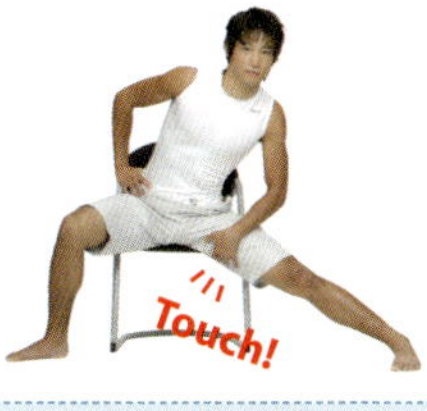

筋肉マップ

ストレッチをおこなう際に知っておきたいのが、筋肉の位置とつき方。
本書では次の部位に分けてストレッチを紹介しています。

前

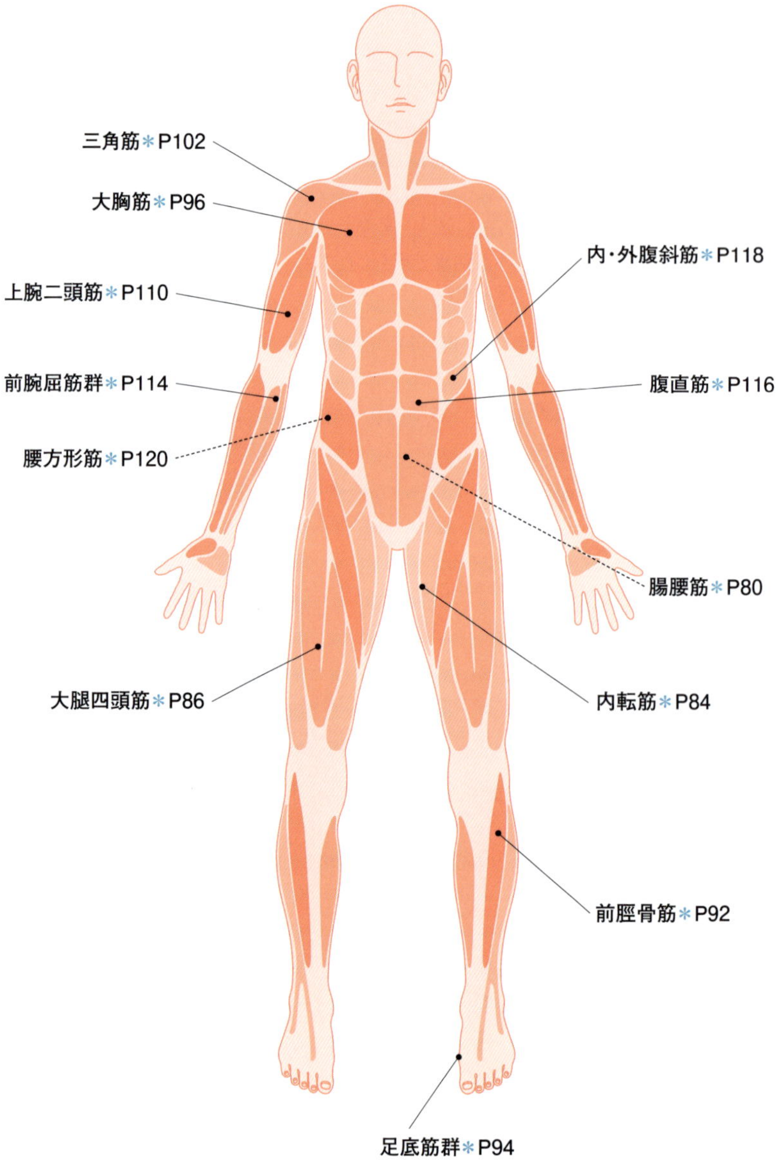

後

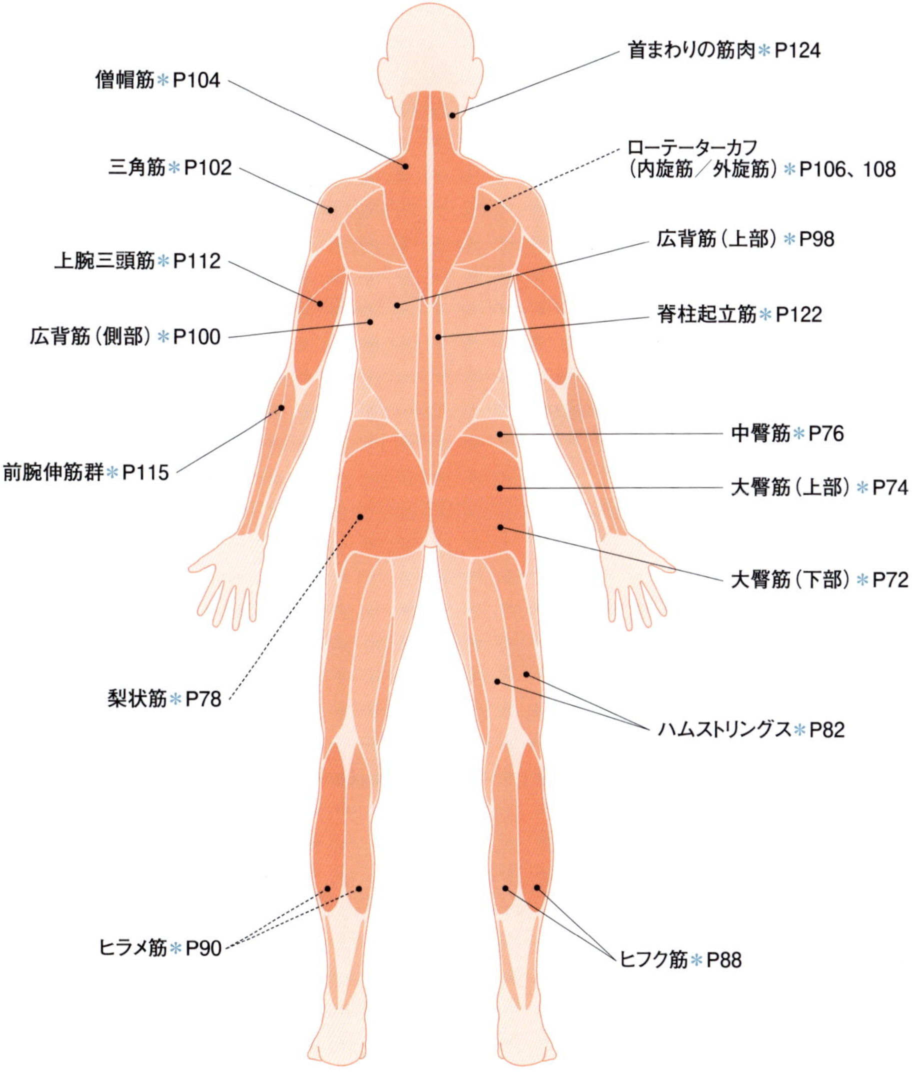

※表層にある筋肉は実線で、深部にある筋肉は点線で示してあります

I 股関節まわり

① ヒップ下部のストレッチ

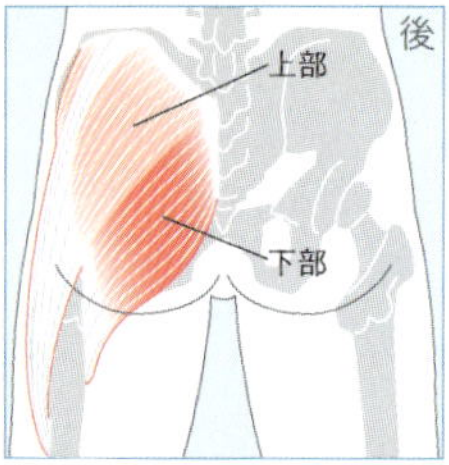

大《だい》臀《でん》筋《きん》

Gluteus maximus muscle

おしりにある大きな筋肉。おもに脚を後ろに振る働きや、外側にひねる働きがあります。多方向に動く股関節につくため動作方向も多様。上部と下部に分ける「多方向ストレッチ」で伸ばします。

大臀筋
下部

1 ひざを曲げて座る

ひざを軽く曲げて座り、ひざの裏側を手で抱えます

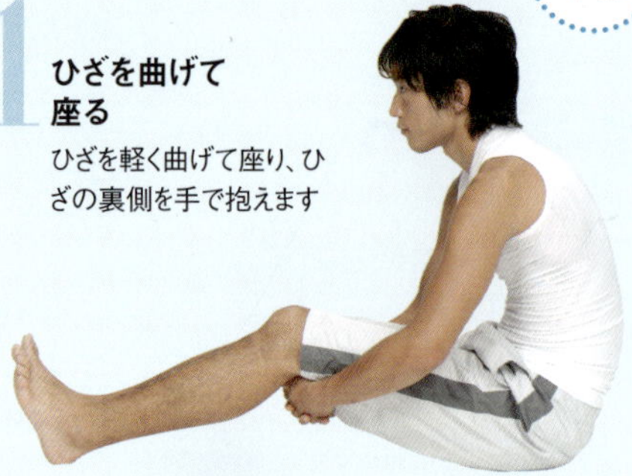

2 背すじをまっすぐに

ひざを抱えた手を離さずに、背すじをまっすぐ伸ばします。できるだけ胸も張りましょう

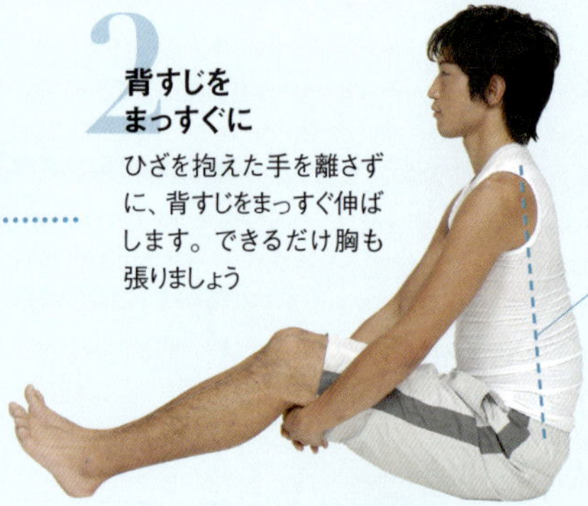

File #001

よく伸びるのはなぜ？

Point1 の理由

股関節を曲げるから伸びる

背すじを伸ばして上半身を倒すと、股関節が大きく曲がるので大臀筋がよく伸びます

コアの操作

Point2 の理由

別の筋肉がゆるんで伸びる

ひざを曲げるのは、太もも裏のハムストリングの伸びが大臀筋の伸びを制限しないための工夫

筋肉の特性

伸ばすメリット

走る、跳ぶなどの動作で働く主要な筋肉のひとつ。多くのスポーツで酷使されるため充分なケアを。柔軟性を高めると、脚を振り出す動作など股関節の動きがスムーズに。

立っておこなう方法

ひざを軽く曲げて立ち、太ももの裏側を手で支えます。胸を張り、背すじを伸ばしたまま股関節から体を曲げてキープ

NG

背中が丸くなると股関節はあまり曲がらず、大臀筋もあまり伸びません

Easy

らくらくストレッチ

つらい人は、上半身の力を抜き、重力にまかせて前かがみになるだけでOK

3 上半身を前に倒す

2で背すじを伸ばした上半身を、そのまま前に倒してキープ

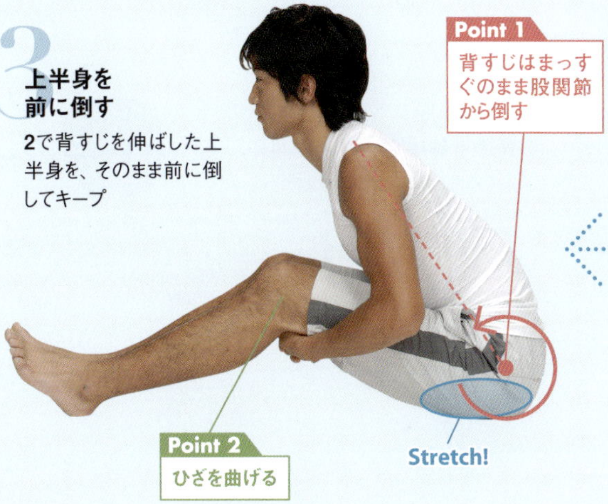
Point 1
背すじはまっすぐのまま股関節から倒す
Point 2
ひざを曲げる
Stretch!

あまり
曲がっていない

NG

背中が丸まる

背中を丸めるだけでは脚のつけ根の股関節はあまり大きく曲がりません。これでは大臀筋下部はあまり伸びません

② ヒップ上部のストレッチ

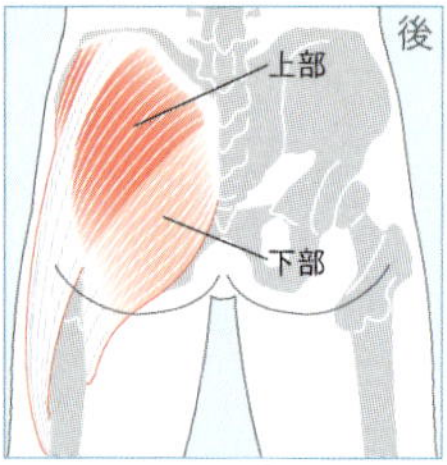

大臀筋 上部

1 すねをひざにのせる

ひざを立てて座り、すねをひざにのせます。のせたほうの足の持ちやすい部分を両手で持ちます

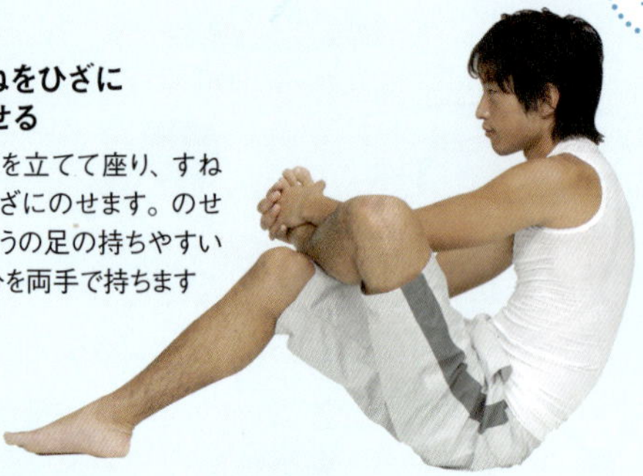

2 胸を張って背中を伸ばす

足を持ったまま、できるだけ胸を張り、背すじをまっすぐ伸ばします

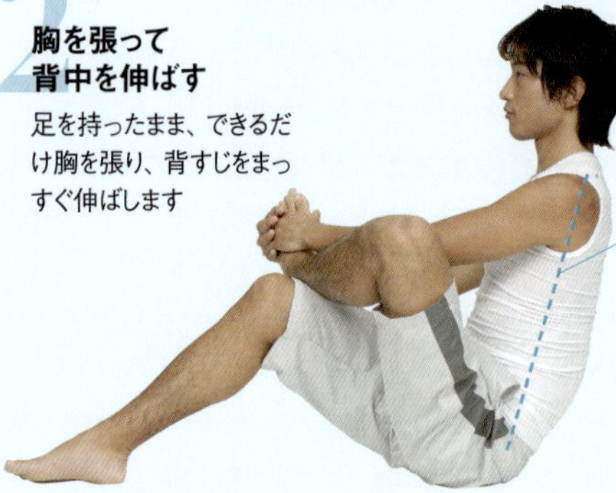

背すじをまっすぐ

File #002

よく伸びるのはなぜ?

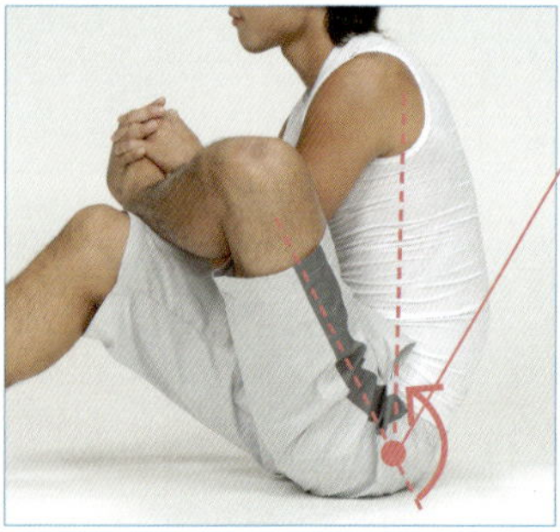

Point1 の理由

股関節を曲げるから伸びる

背すじを伸ばして上半身を倒すと、股関節が大きく曲がるので大臀筋がよく伸びます

コアの操作

立っておこなう方法

胸を張った姿勢で上半身を股関節から倒し、手を交差させ足首をつかんでキープ

〈Side〉
背すじはまっすぐのまま

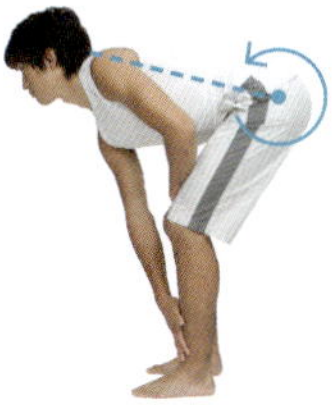

NG

立っておこなう際も、背中が丸まると大臀筋はあまり伸びません

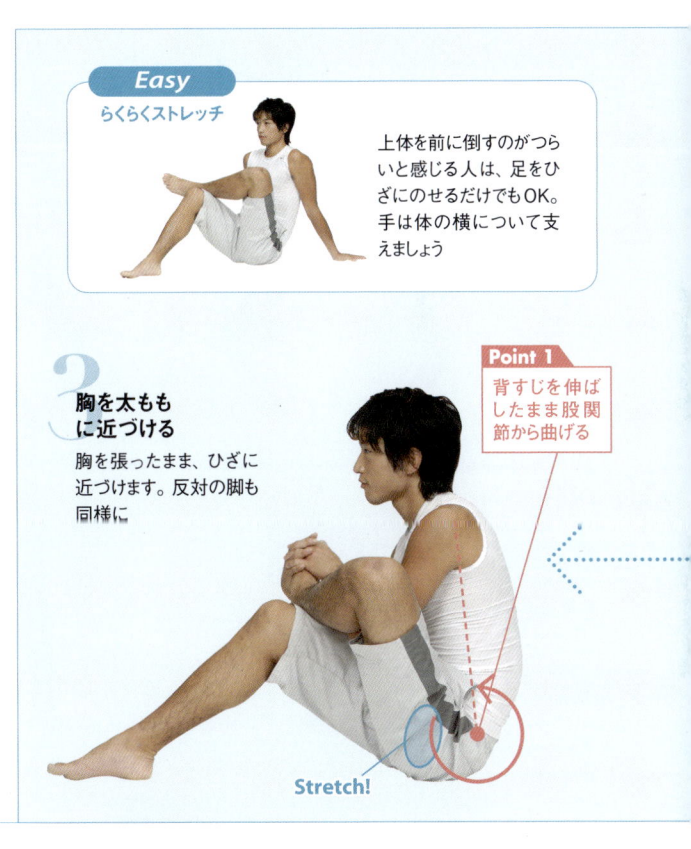

Easy
らくらくストレッチ

上体を前に倒すのがつらいと感じる人は、足をひざにのせるだけでもOK。手は体の横について支えましょう

3 胸を太ももに近づける

胸を張ったまま、ひざに近づけます。反対の脚も同様に

Point 1
背すじを伸ばしたまま股関節から曲げる
Stretch!

NG

背中が丸まる

背中を丸めるだけでは脚のつけ根の股関節はあまり大きく曲がりません。これでは大臀筋上部はあまり伸びません

3 ヒップ側面のストレッチ

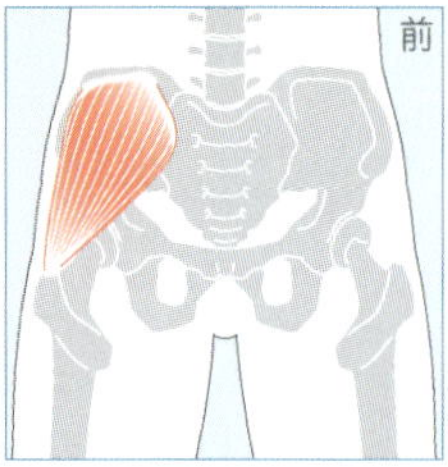

中《ちゅう》臀《でん》筋《きん》

Gluteus medius muscle

おしりの側面にある筋肉。おもに脚を左右に振る働きをします。左右の方向転換や、立った姿勢で左右のバランスをとるとき、歩行時に接地している脚をまっすぐ支えるときなどに使われます。

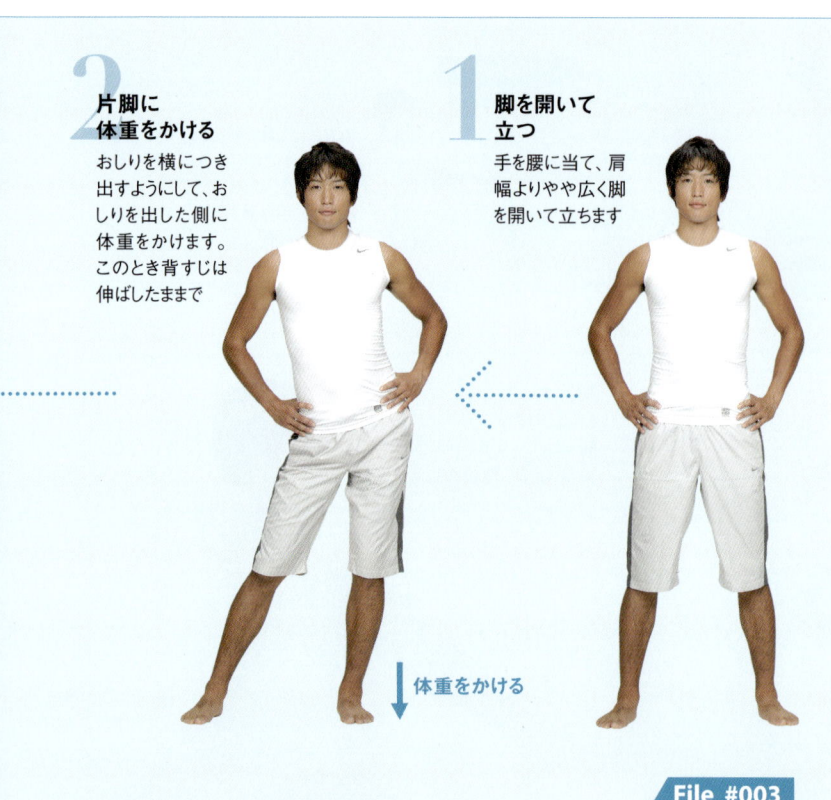

1 脚を開いて立つ

手を腰に当て、肩幅よりやや広く脚を開いて立ちます

2 片脚に体重をかける

おしりを横につき出すようにして、おしりを出した側に体重をかけます。このとき背すじは伸ばしたままで

File #003

よく伸びるのはなぜ?

Point1 の理由

股関節を曲げるから伸びる

背すじをまっすぐ伸ばして上半身を倒すと、股関節が大きく横に曲がるので、中臀筋が伸びます

コアの操作

伸ばすメリット

横方向への方向転換が必要となるサッカーやバスケットボールなどで酷使されやすい筋肉。日常的にもよく使われ、疲労が蓄積しやすい部位なので、ストレッチでしっかりケアを。

Easy

らくらくストレッチ

腰を手で押すと痛い人は、横につき出すだけでもOK

3 腰を横に押し出す

背すじを伸ばしたまま、手でおしりを横に押し出してキープ。反対側も同様に

Point 1
背すじを伸ばして股関節から曲げる
手で押し出す

NG

前のめりになる

上半身が前に倒れると、大臀筋上部は伸びますが、中臀筋のストレッチにはなりません。また、上半身が曲がってしまうのも股関節が曲がらないのでNG。背すじはしっかり伸ばして

④ ヒップ深部のストレッチ

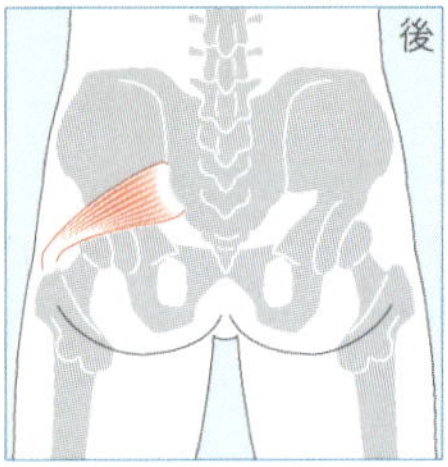

梨《り》状《じょう》筋《きん》

Piriformis muscle

おしりの深部にあるインナーマッスル。おもな働きは多方向に動く球関節である股関節を安定させること。脚を外側にひねる方向（外旋）から股関節を支えます。力強い股関節動作を陰で支える重要な筋肉。

1 あおむけで ひざを倒す

あおむけになって両ひざを横に倒します。手のひらは床に、顔はひざと反対側に向けましょう

2 足でひざを 押さえる

足でひざを押さえ、ひざが浮かないようにしましょう

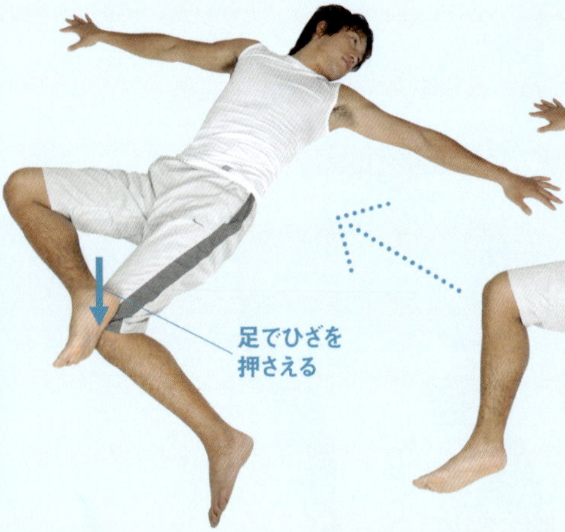

File #004

よく伸びるのはなぜ？

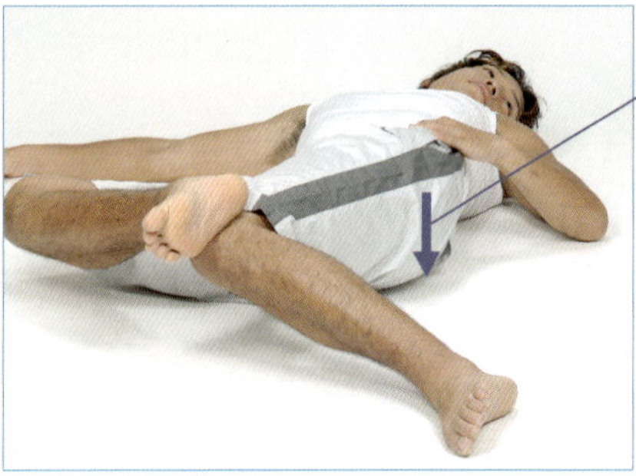

Point1 の理由

骨盤を逃がさない から伸びる

梨状筋の基部である骨盤（腰）を床につけることで梨状筋が引っ張られ、しっかり伸ばせます。顔をひざと反対側に向けるのも、腰を浮きにくくするためです

基部の固定

伸ばすメリット

走ったり跳んだりするスポーツで、股関節を安定させるために酷使されやすい部位。こり固まると脚をつけ根から動かす大きな動作がしにくくなるため、しっかりストレッチしておきましょう。

立っておこなう方法

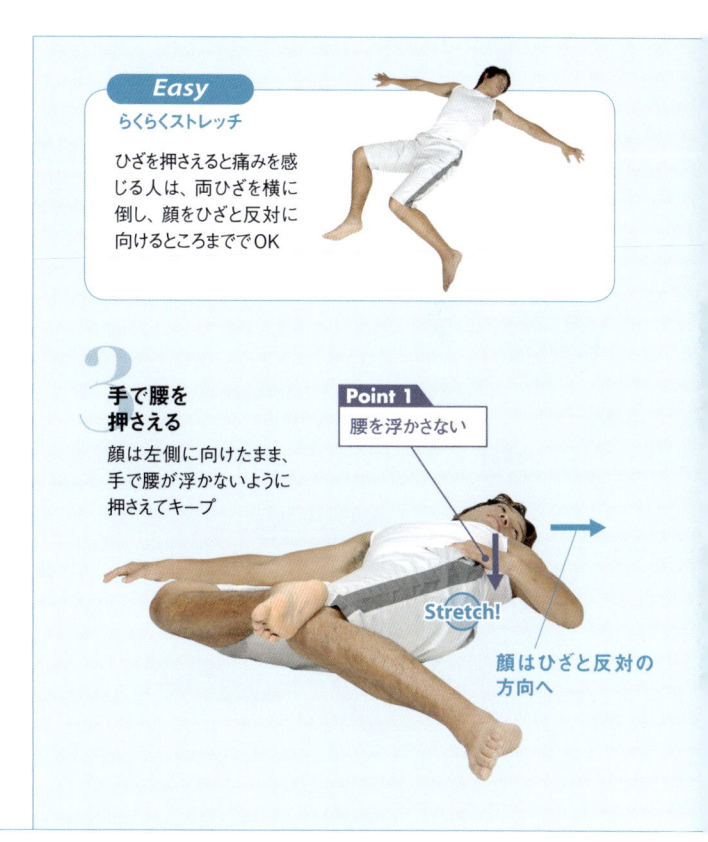

脚を肩幅に開き、手を腰に当てて立ちましょう

軸足は動かさず、反対の足をふみこんで腰を内側に回してキープ

Easy
らくらくストレッチ

ひざを押さえると痛みを感じる人は、両ひざを横に倒し、顔をひざと反対に向けるところまででOK

3 手で腰を押さえる

顔は左側に向けたまま、手で腰が浮かないように押さえてキープ

Point 1
腰を浮かさない

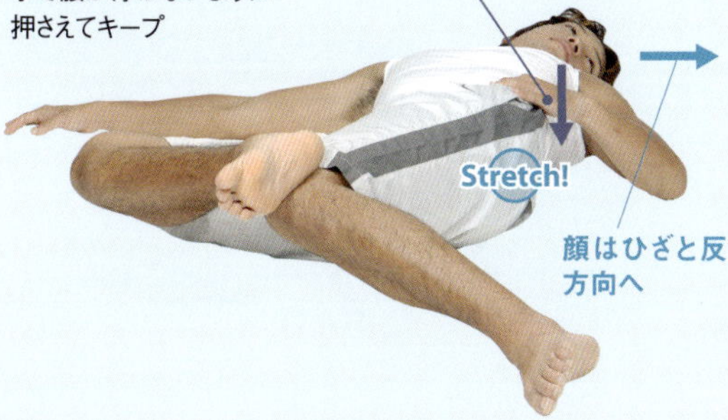

顔はひざと反対の方向へ

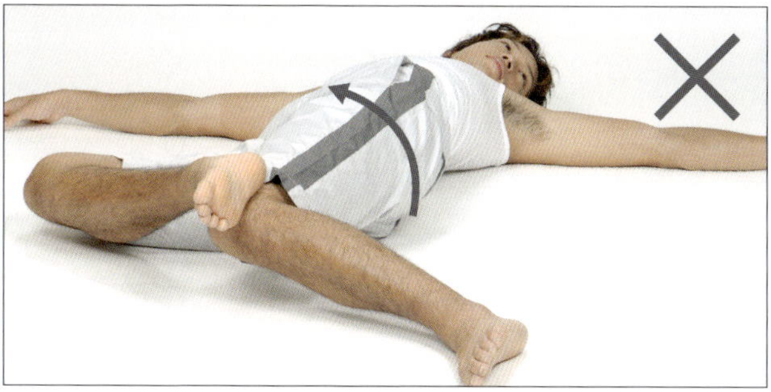

NG

おしりが浮く

脚につられておしりが回って浮いてしまうと、梨状筋の基部である骨盤が固定できず、あまり伸びません

5 下腹深部のストレッチ

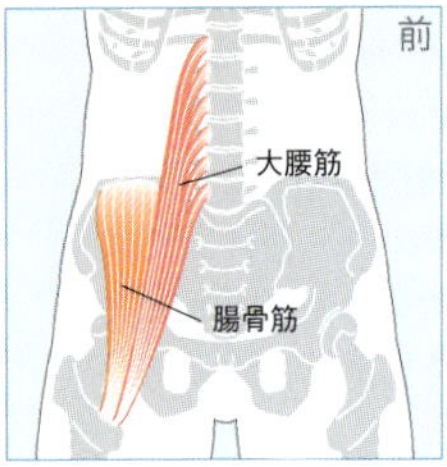

腸《ちょう》腰《よう》筋《きん》

Iliopsoas muscle

下腹の深部にあるインナーマッスル。大腰筋と腸骨筋を合わせて腸腰筋と呼びます。おもに脚を前に振り出す働きがあり、歩いたり走ったりするときに脚を振り戻す動作や、骨盤を前傾させて姿勢を維持する際に働きます。

1 片脚を横に外す

うつぶせになり、片脚を横に外します

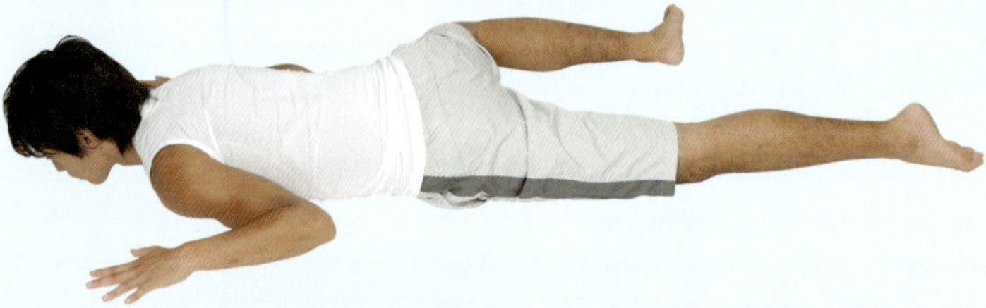

Easy

らくらくストレッチ

片脚ずつ曲げるとつらい人は、両側を同時に伸ばしましょう。伸ばす力が小さくなり、ラクにストレッチできます

File #005

よく伸びるのはなぜ？

Point1の理由

股関節を曲げるから伸びる

背すじを伸ばして上半身を起こすと、股関節が大きく曲がるので腸腰筋がよく伸びます

コアの操作

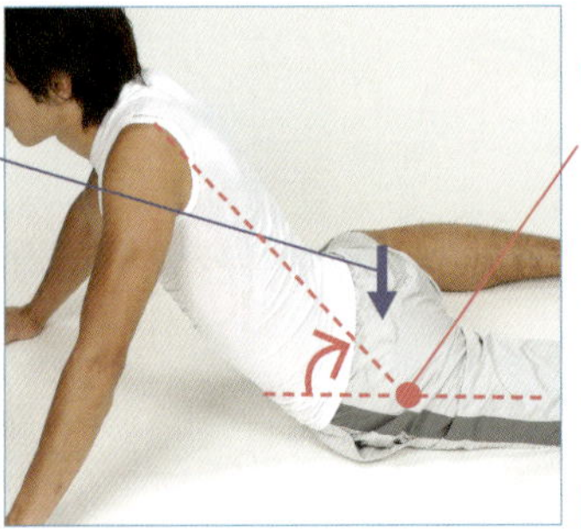

Point2の理由

腰を逃がさないから伸びる

腸腰筋の基部である骨盤（腰）を浮かさないことで基部が固定され、より伸びやすくなります

基部の固定

伸ばすメリット

短距離走やサッカーなどの脚をすばやく振り出す動作で酷使されるため、ストレッチでよくケアを。姿勢維持にもかかわる筋肉なので、よくほぐれた状態にしておくことは、骨盤の位置を整えて腰痛を予防することにもつながります。

立っておこなう方法

脚を前後に開いて、後ろ脚のひざを床につきます。胸を張って、腰を前に突き出すようにしてキープ。反対側も同様に

※ストレッチ用のマットを敷くか、ひざの下にタオルを敷いておこないましょう

外でひざをつけない場合

屋外では、ひざを浮かせておこないましょう。バランスがとりにくい場合は壁などに手をつくといいでしょう

2 床を押して体を起こす

手で床を押しながら、上半身を起こしてキープ。このとき背すじは、まっすぐになるように。反対側も同様に

Point 1
背すじを伸ばして股関節から起こす
Stretch!
Point 2
腰を浮かさない

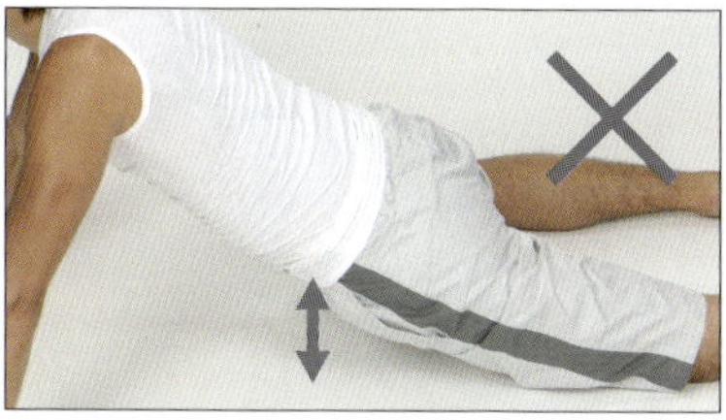

NG 腰が浮いてしまう

腰が床から離れてしまうと大腰筋の基部が固定されず、あまり伸びません

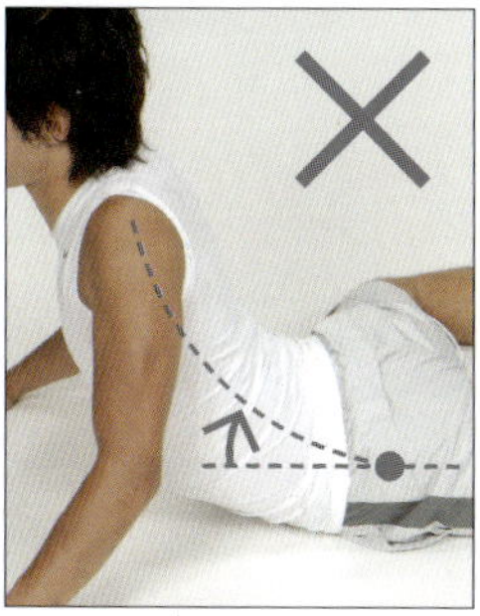

NG 背中が反る

背中が反ると、上半身が起きる角度は右に比べて小さくなり大腰筋はあまり伸びません。ただし、腹直筋は伸びます

6 太もも裏側のストレッチ

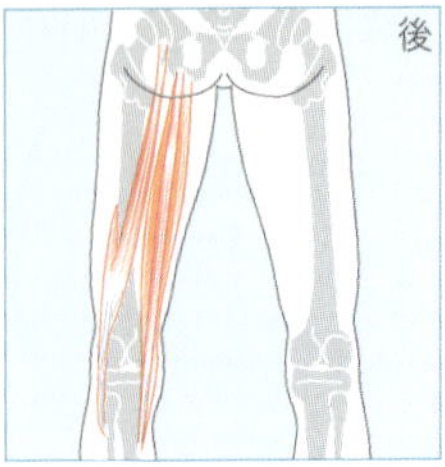

ハムストリングス
Hamstrings

太ももの裏側にあり、おもに脚を後方に振る働きとひざを曲げる働きをにな
います。股関節とひざ関節の2つの関節をまたぐ「二関節筋」なので、ひざを伸ばして上半身を倒す「二関節ストレッチ」で伸ばします。

1 脚を伸ばして座る

脚を伸ばして座ります。上半身と腕の力は抜いて

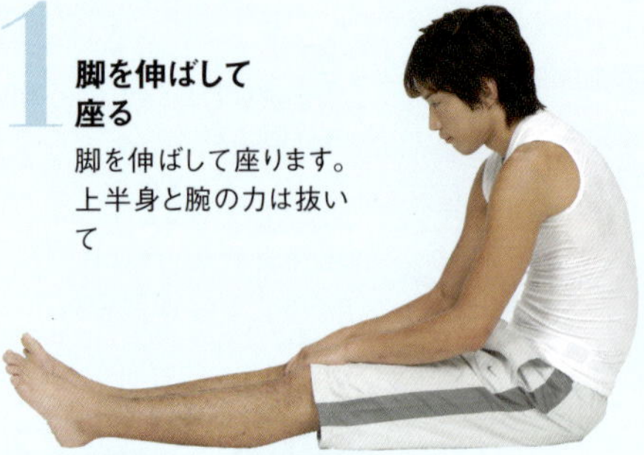

2 体幹部分を伸ばす

背すじを、まっすぐ伸ばします

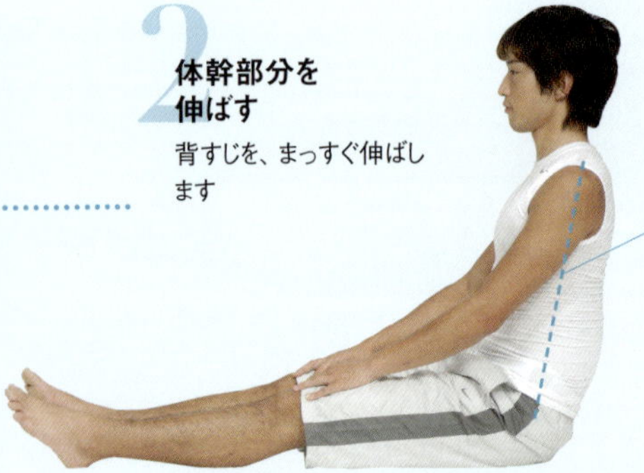

File #006

よく伸びるのはなぜ?

Point2の理由

二関節ストレッチで伸びる

ハムストリングスはひざ関節と股関節をまたぐ二関節筋。ひざを伸ばして上半身を倒す「二関節ストレッチ」を

筋肉の特性

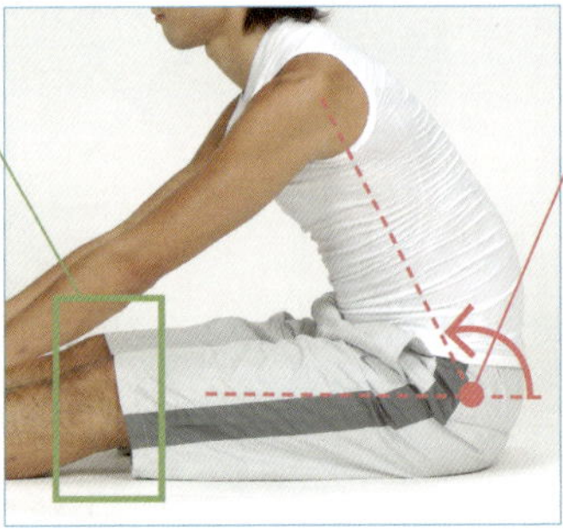

Point1の理由

股関節を曲げるから伸びる

背すじを伸ばして上半身を倒すと、股関節が大きく曲がるのでハムストリングスがよく伸びます

コアの操作

伸ばすメリット

あらゆるスポーツでキーとなる重要な筋肉ですが、肉離れなどの傷害が起こりやすい部位のひとつ。ケガ予防のためにもストレッチは重要。柔軟性が高まると、脚を前に振り出す股関節の動作がスムーズに。

3 股関節から倒す

ひざを伸ばし、背すじを伸ばしたまま股関節から上半身を倒してキープ

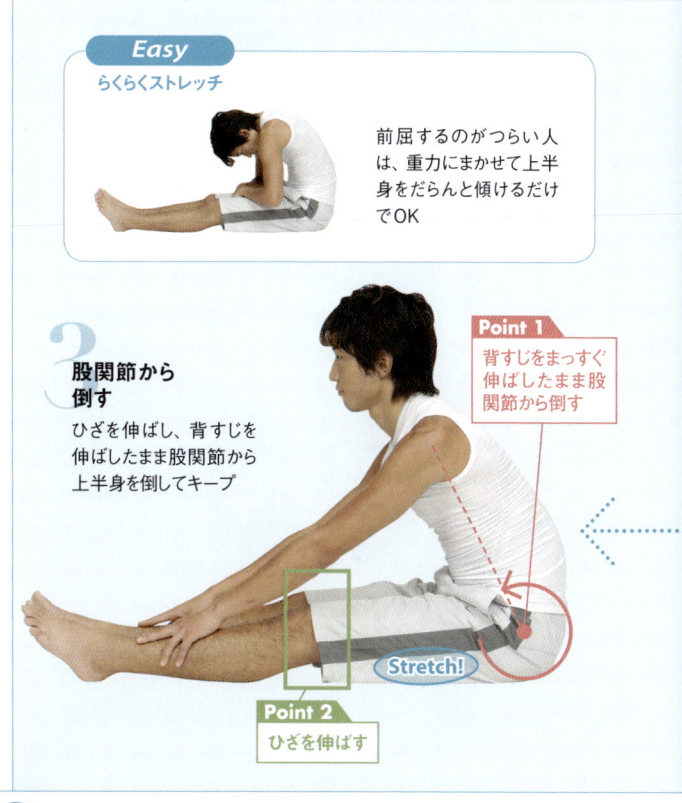

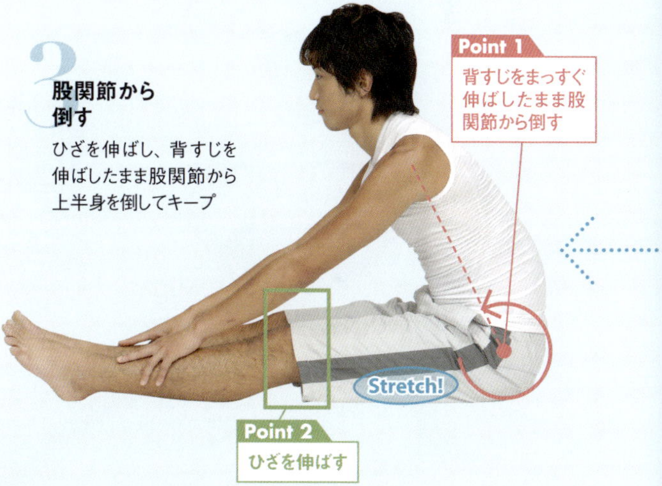

Point 1
背すじをまっすぐ伸ばしたまま股関節から倒す
Stretch!
Point 2
ひざを伸ばす

Easy らくらくストレッチ

前屈するのがつらい人は、重力にまかせて上半身をだらんと傾けるだけでOK

立っておこなう方法

ひざを伸ばして直立し、胸を張って背すじを伸ばします。そのままの姿勢で、脚のつけ根から体を前に倒してキープ

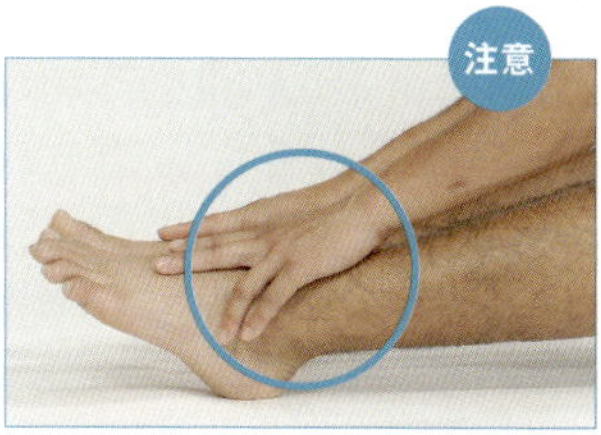

注意

手はつま先に届かなくてOK!

手がつま先につくことを目標にすると、背中が丸まりやすいので注意。目的はハムストリングスをしっかり伸ばすこと

NG

背中が丸まる

背中を丸めるだけでは脚のつけ根の股関節はあまり大きく曲がりません。これではハムストリングスはあまり伸びません

7 太もも内側のストレッチ

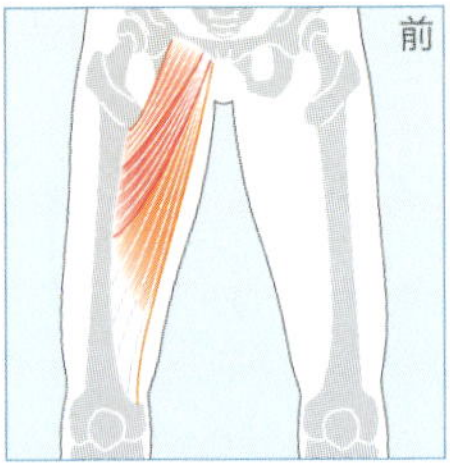

内《ない》転《てん》筋《きん》

Adductor muscle

太ももの内側にある内腿の筋肉。おもに脚を内側に振る動作や、後方に振る動作で働きます。歩行時に脚を後方に振る、野球やサッカーなどで踏み込んだ軸足を締める、などの動作で重要。

Easy

らくらくストレッチ

脚を片側に伸ばすだけでも、内転筋はある程度は伸びます

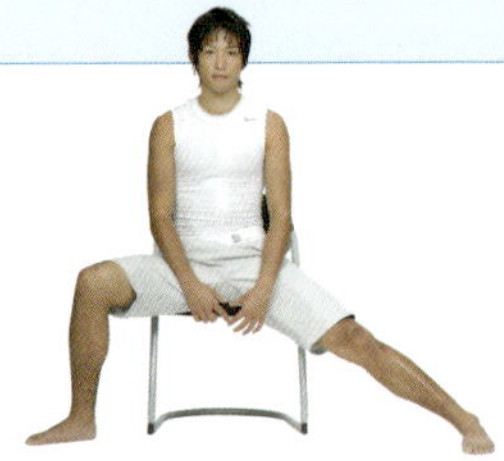

1 片脚を横に伸ばす

脚を開いてイスに座り、片脚を伸ばして真横に出します。つま先は正面に向け、手は腰に軽く当てます

File #007

よく伸びるのはなぜ？

Point2の理由

股関節を曲げるから伸びる

背すじを伸ばして上半身を倒すと、股関節が大きく曲がるので内転筋がよく伸びます

コアの操作

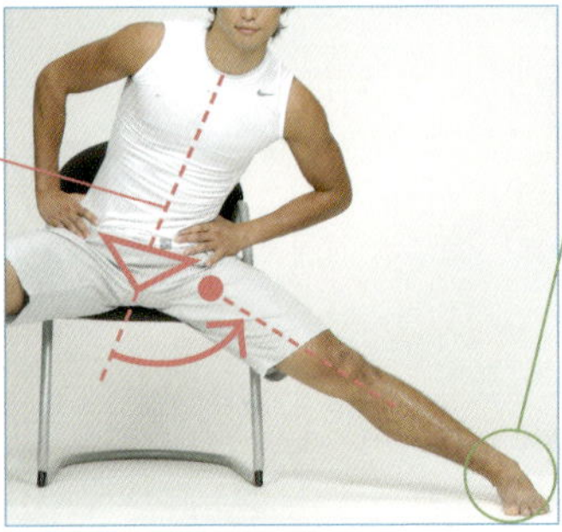

Point1の理由

ひざの向きの調整で伸びる

つま先を前に向けると、股関節が外転方向に動くので内転筋がよく伸びます

筋肉の特性

伸ばすメリット

柔軟性が高まると、脚を横に伸ばしたり高く上げたりする股関節動作がスムーズに。一般的に立っておこなうストレッチが多いようですが、座ったほうがしっかり脱力できて効果的です。

2 上半身を横に倒す

背すじを伸ばしたまま、脚のつけ根から上半身を横に倒してキープ。反対側も同様に

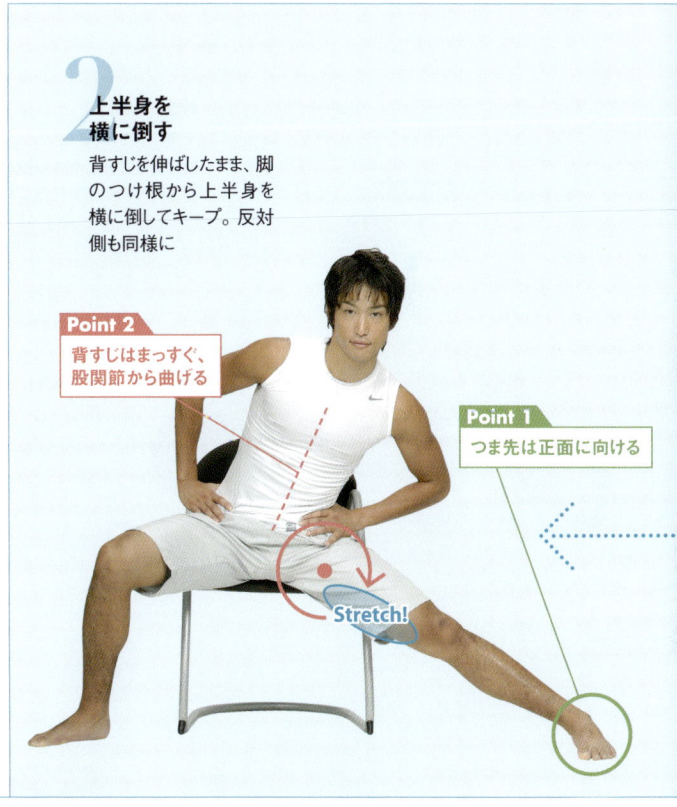

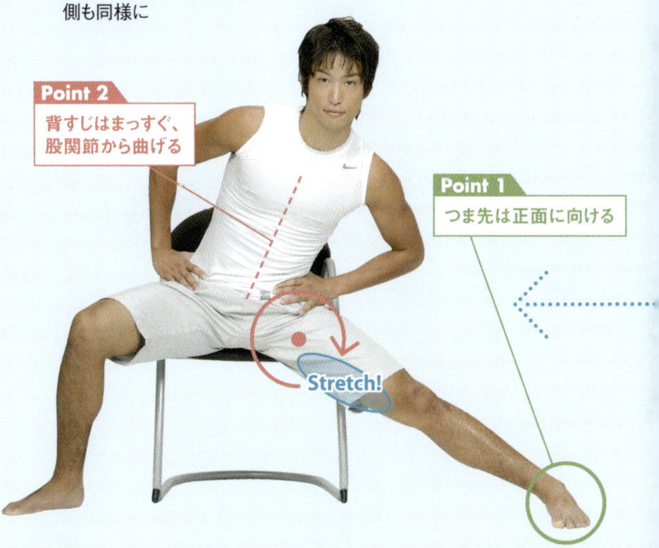
Point 2
背すじはまっすぐ、股関節から曲げる
Point 1
つま先は正面に向ける
Stretch!

タッチ法で伸びを実感!

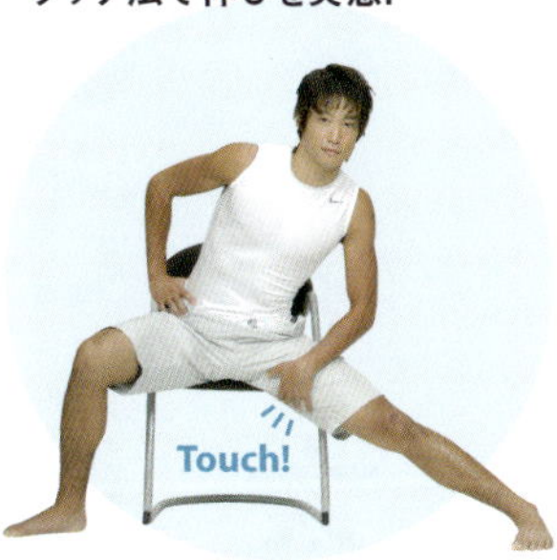
Touch!

手でタッチしながら筋肉の伸び具合を感じましょう

立っておこなう方法

脚を開いて立ち、手で腰を押しながら上半身を横に倒してキープ

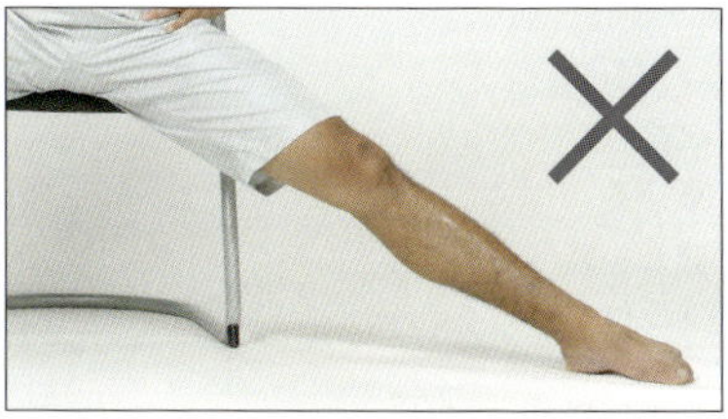

NG つま先が外側を向く

つま先が外側に向いた状態で上半身を横に倒しても、内転筋はあまり伸びません

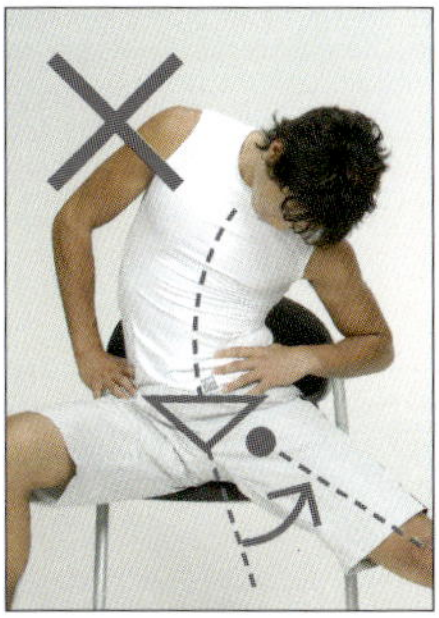

NG 背すじが曲がる

背中を丸めるだけでは脚のつけ根の股関節はあまり大きく曲がりません。これでは内転筋はあまり伸びません

Ⅱ ひざ・足関節まわり

8 太もも前面のストレッチ

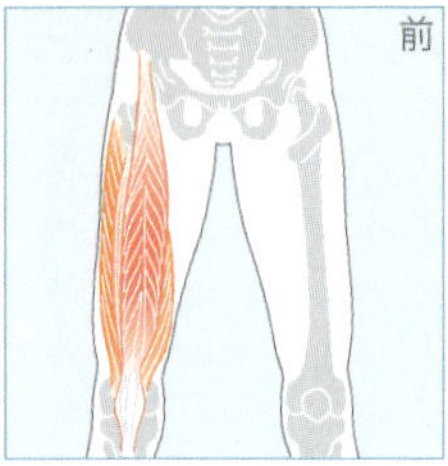

大《だい》腿《たい》四《し》頭《とう》筋《きん》

Rectus femoris muscle

太ももの前面にある、人体で最大の筋肉。おもにひざを伸ばす働きをし、体重を支えて立ったり歩いたりする動作でもっとも重要な働きをします。一部はひざ関節と股関節をまたぐ二関節筋。

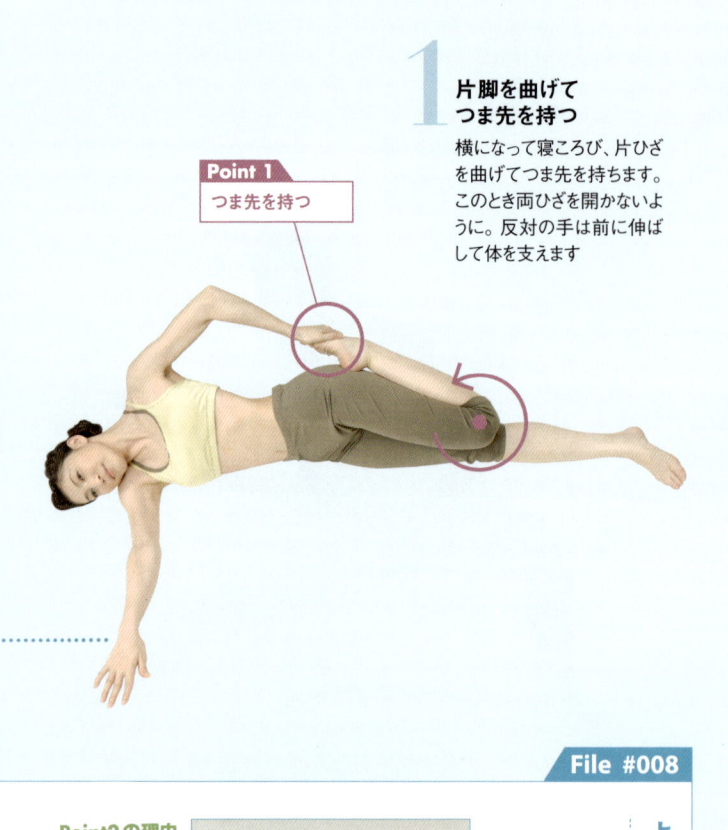

1 片脚を曲げて つま先を持つ

横になって寝ころび、片ひざを曲げてつま先を持ちます。このとき両ひざを開かないように。反対の手は前に伸ばして体を支えます

Point 1 つま先を持つ

File #008

よく伸びるのはなぜ？

Point2の理由

二関節ストレッチで伸びる

大腿四頭筋はひざと股関節をまたぐ二関節筋。曲げたひざを引く「二関節ストレッチ」でよく伸びます

筋肉の特性

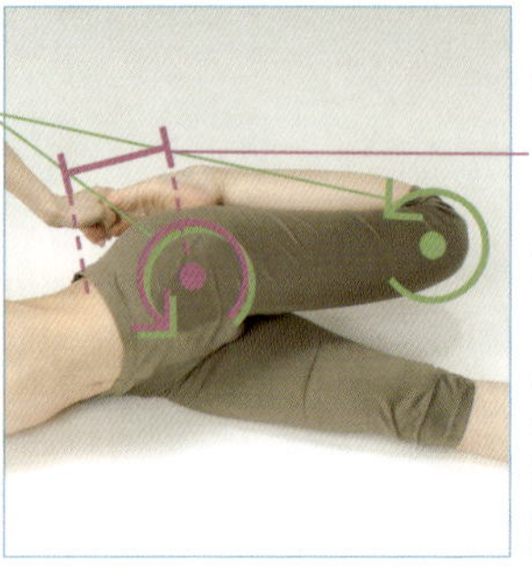

Point1の理由

テコが長いから伸びる

股関節から遠いつま先を持つほうがテコが長くなり、より強い力で太もも前面を引けます

テコの原理

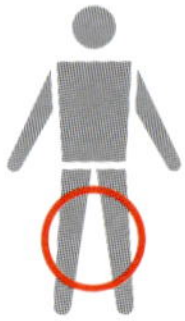

伸ばすメリット

体重を支えるためにつねに働いているため、日常生活やあらゆるスポーツで疲労がたまりやすい部位。体を支えるもっとも重要な筋肉であるぶん、負担や疲労も大きいためストレッチでよくほぐしてケアしましょう。

立っておこなう方法

イスにつかまって体を支え、片ひざを曲げて手で持ちます。さらにひざを後ろに引いてキープしましょう

ひざをつく方法

片ひざを床につけて、後ろに引きます。腰を前につき出すとひざが後ろに引けてよく伸びます

Easy

らくらくストレッチ

寝ころんでひざを強く引くのがつらい人は、座ってひざを曲げた姿勢をとるところまで。痛みを感じない範囲で、上半身を後ろに倒してみましょう

Point 2
曲げたひざを引く
Stretch!

2 つま先を引き ひざを後ろへ

手でつま先を引っ張り、ひざを後ろに引いてキープ。反対側も同様に

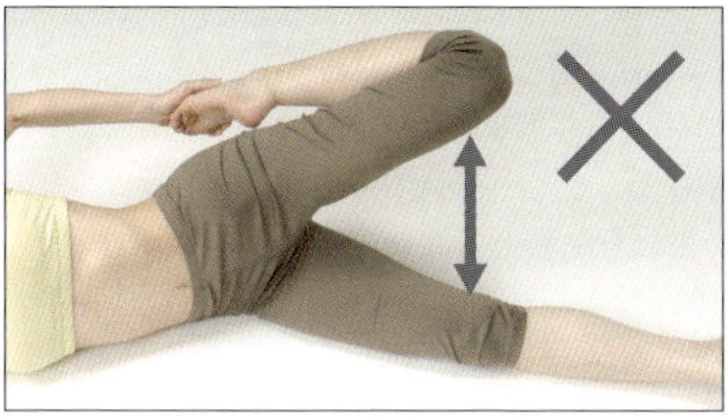

NG ひざが左右に開く

ひざが横に開いて太ももを後ろに引けないと、大腿四頭筋はあまり伸びません

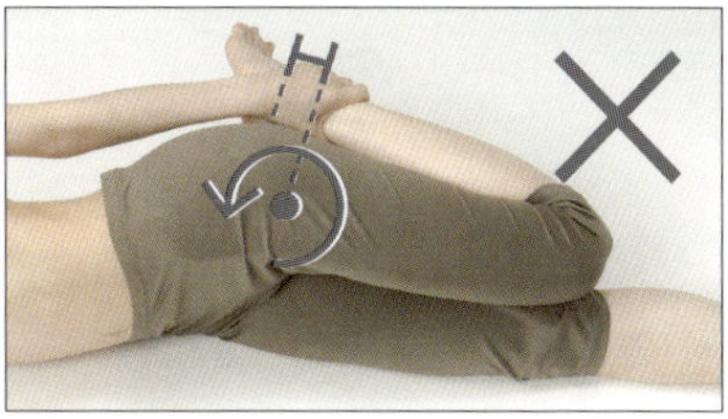

NG 足首を持って引く

手の位置が足首にくると、そのぶんテコが短くなり、太ももを後ろに引けなくなります

9 ふくらはぎ表面のストレッチ

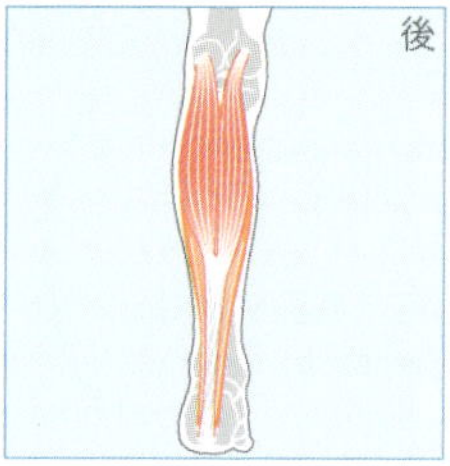

ヒフク筋

Gastrocnemius muscle

ふくらはぎの表層にある筋肉。おもに足首を伸ばす働きをします。とくに跳んだり、走ったりといったダイナミックな動作のときに活躍。ひざ関節と足関節をまたぐ二関節筋です。

1 手足を床につく

両手と両足を肩幅に開いて床につき、ひじとひざを伸ばします

Easy

らくらくストレッチ

片脚ずつ伸ばすのがつらい人は、両脚を同時に伸ばす1の姿勢までに

File #009

よく伸びるのはなぜ？

Point1 の理由

二関節ストレッチで伸びる

ヒフク筋は足関節とひざ関節をまたぐ二関節筋。ひざを伸ばしたうえで足首を曲げる「二関節ストレッチ」でよく伸びます

筋肉の特性

伸ばすメリット

ダイナミックなスポーツで傷害が起こりやすいため、運動前にしっかりストレッチしたい筋肉。関節の構造上、きちんと伸ばすにはかなり強い力で足首を曲げる必要があります。

立っておこなう方法

足を前後に開いてひざを伸ばし、足首を曲げてキープ。準備運動などでよくおこなわれます

2 片足でひざを押す

片足でもう一方の脚のひざを、後ろに押し出すようにしてキープ。反対側も同様に

Stretch!
Point 1
足で押してひざを伸ばす

壁を利用する方法

壁や階段などを利用し、一方のつま先を壁面に押しつけて体重をかけます。ひざはまっすぐ伸ばしたまま

もっと強く伸ばす方法

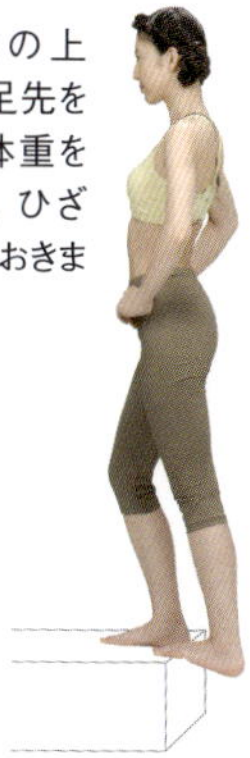

階段や台の上に片方の足先をかけて全体重をのせます。ひざは伸ばしておきましょう

NG

ひざが曲がる

この姿勢だとヒフク筋の奥にあるヒラメ筋のストレッチに。二関節筋であるヒフク筋はゆるんでしまうので、あまり伸びません

10 ふくらはぎ深部のストレッチ

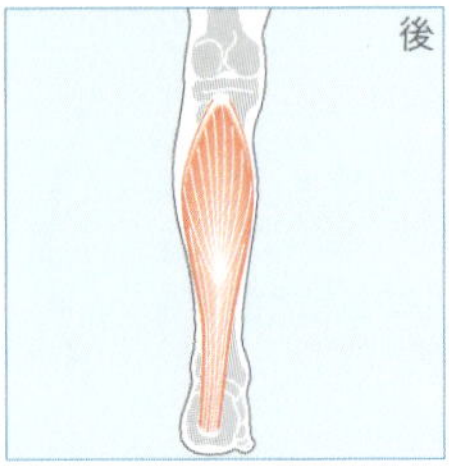

ヒラメ筋

Soleus muscle

ふくらはぎの深部にある筋肉。下部の両わきの部位は表層に出ています。足首を伸ばす働きをにない、ダイナミックな動作で働くヒフク筋に対して、ヒラメ筋はおもに立位での姿勢を維持するために働きます。

Point 1
ひざを曲げる

1 伸ばす側のひざを立てる

片ひざを立てて座り、立てたほうのひざに腕をのせます

Easy
らくらくストレッチ

片脚ずつ伸ばすのがつらい人は、両脚同時にストレッチを。両ひざを曲げてしゃがみ、ひざの近くにのせた腕に全体重をかけて伸ばしましょう

File #010

よく伸びるのはなぜ？

Point2 の理由
テコが長いから伸びる

足関節からなるべく遠いひざの位置を腕で押すとテコが長くなり、より強い力で伸ばせます

テコの原理

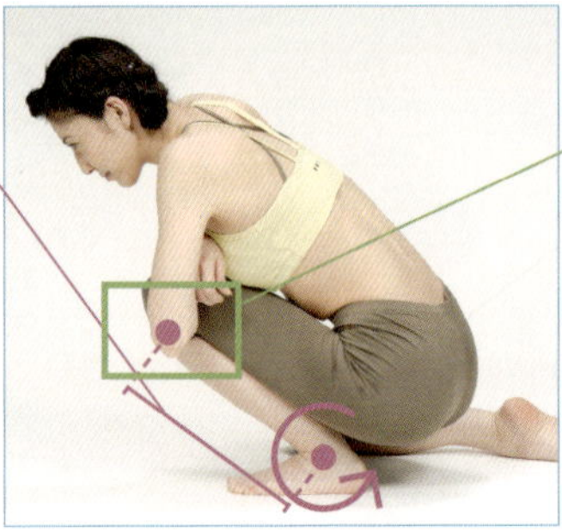

Point1 の理由
ヒフク筋がゆるんで伸びる

ひざを曲げることでひざ関節につくヒフク筋がゆるみ、そのぶんヒラメ筋がしっかり伸びます

筋肉の特性

伸ばすメリット

立位での姿勢維持などのために、日常的に酷使されるため、疲れがたまりやすい部位。立ち仕事が多い人はこまめにストレッチでほぐして、しっかりケアしてあげるといいでしょう。

NG

立っておこなうこのストレッチをよく見かけますが、あまりおすすめできません。この姿勢は脚の筋肉にかなり負荷がかかり、筋肉を脱力できません。そのうえ、肝心の足首を曲げる力も弱くなります

2 ひざに体重をかける

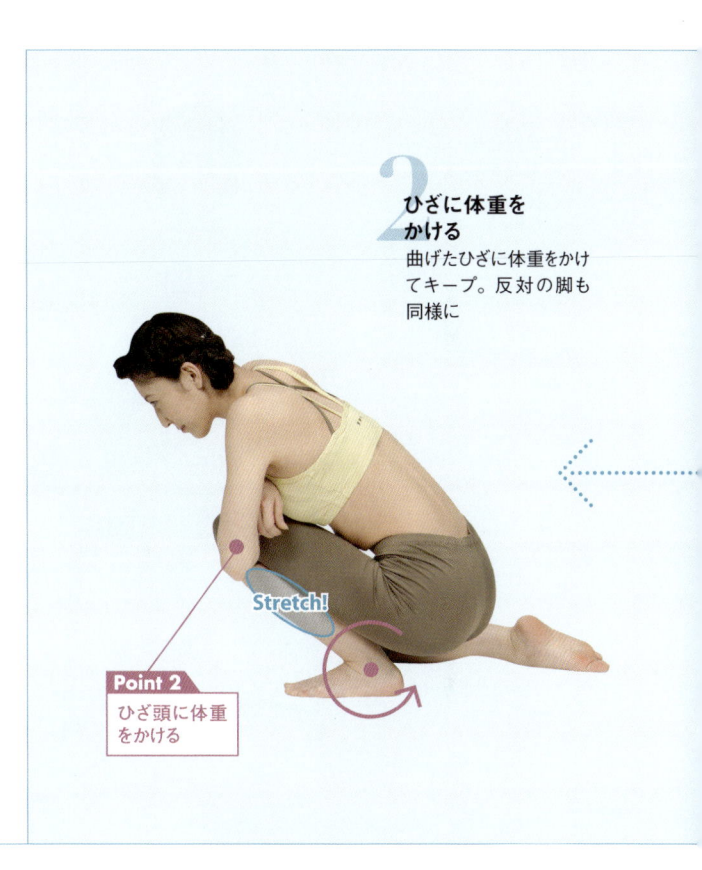

曲げたひざに体重をかけてキープ。反対の脚も同様に

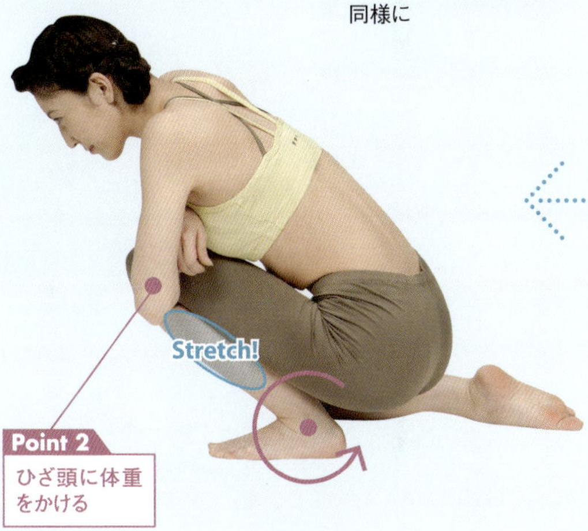
Stretch!
Point 2
ひざ頭に体重をかける

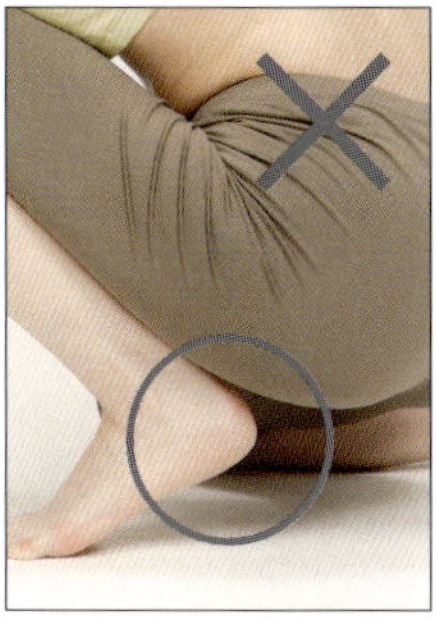

NG

かかとが浮く

かかとが浮いて逃げてしまうと、ヒラメ筋の基部であるかかとが固定できないのでヒラメ筋を充分に伸ばせません

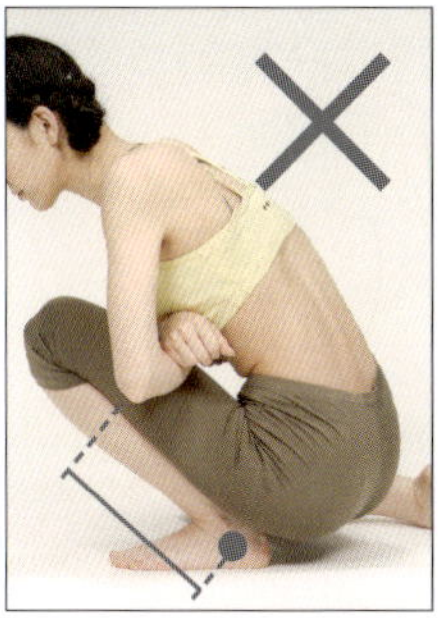

NG

腕の位置が低い

ひざから離れた低い位置に腕をのせると、テコが短くなるので、それだけヒラメ筋を伸ばしにくくなります

11 すねのストレッチ

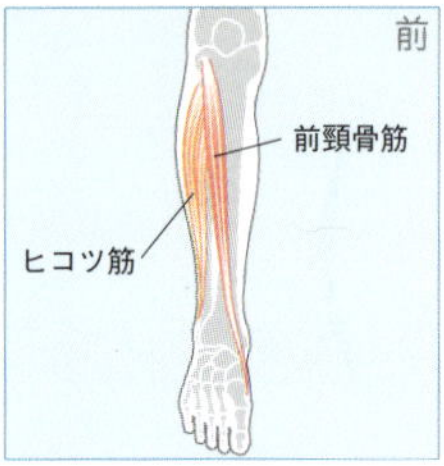

前《ぜん》頸《けい》骨《こつ》筋《きん》

Tibialis anterior muscle

すねの前にある筋肉。おもに足首を曲げる働きをします。歩行時に、蹴り足を前に戻すときに足首を曲げる動作や、接地した足首をしっかり固定するときにも、この筋肉が使われます。

つま先を持って足首を伸ばす

イスに座り、片脚をひざにのせます。手でつま先を包むように持ち、足首を伸ばしてキープ。反対の手でひざを押さえて脚がグラグラしないように支えましょう。反対の脚も同様に

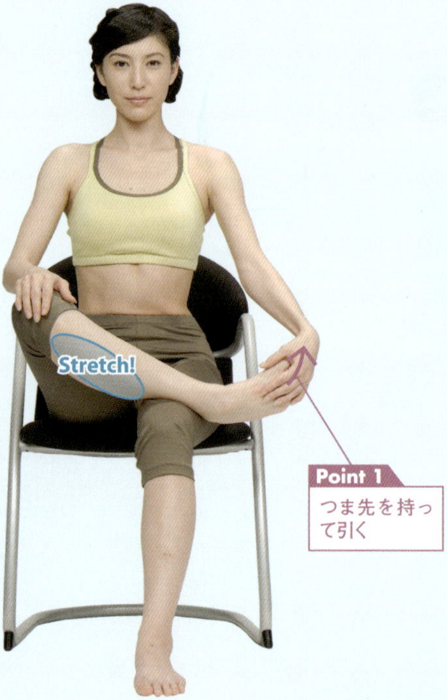

File #011

よく伸びるのはなぜ？

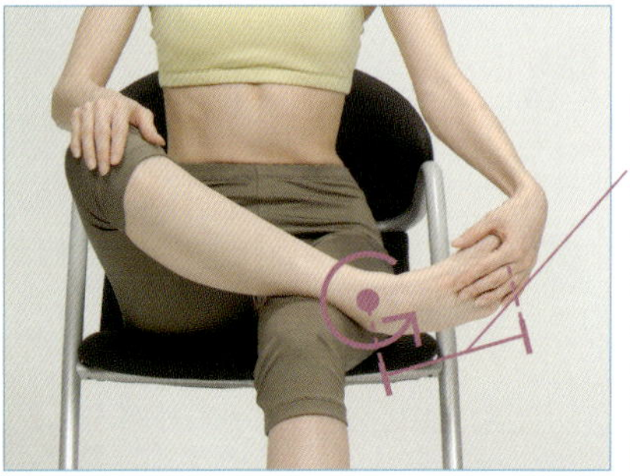

Point1の理由

テコが長いから伸びる

つま先を持って手前に引くと、テコの長さが最大限になるためより強い力で前頸骨筋を伸ばせます

テコの原理

伸ばすメリット

歩行や走行での接地の衝撃などで酷使されやすい部位。ジョギングやウォーキングでのオーバーユース（使いすぎ）による傷害の多い部位でもあります。ケアはもちろん、無理をしすぎないことも大切。

ヒコツ筋のストレッチ

足の向きを変えると…

足首を横に曲げると、すねの側面につくヒコツ筋のストレッチになります

もっと強く伸ばす方法

後ろ脚のすねで前脚に体重をかけ、足首を強く伸ばします

立っておこなう方法

つま先を地面につけ、体重をかけて伸ばします。反対側も同様に

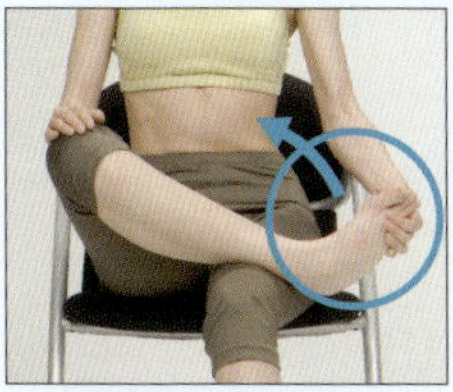

足首を横に曲げる

つま先を下から持ち足首を横に曲げると、ヒコツ筋が伸ばせます

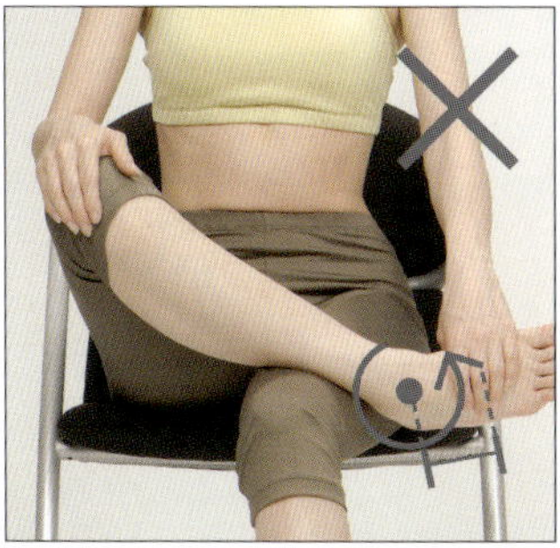

NG

足首の近くを持つ

手の位置が足首に近づくほど、テコの長さは短くなり、伸ばす力が弱くなってしまいます

12 足裏のストレッチ

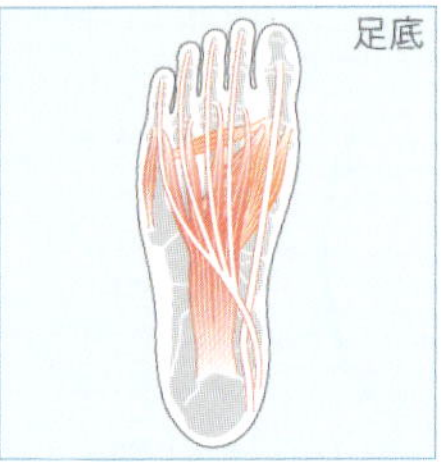
足底

足《そく》底《てい》筋《きん》群《ぐん》

Planta pedis muscles

足裏にある筋肉の総称で、多くのこまかい筋肉で構成されています。おもに土踏まずなどのアーチを保つ働きと、足の指を曲げる働きをします。足指と足首をまたぐ二関節筋の筋肉もあります。

足首とつま先を曲げる

イスに座り、片足をひざにのせます。かかととつま先を持ち、足首と指先を曲げてキープ。反対の足も同様に

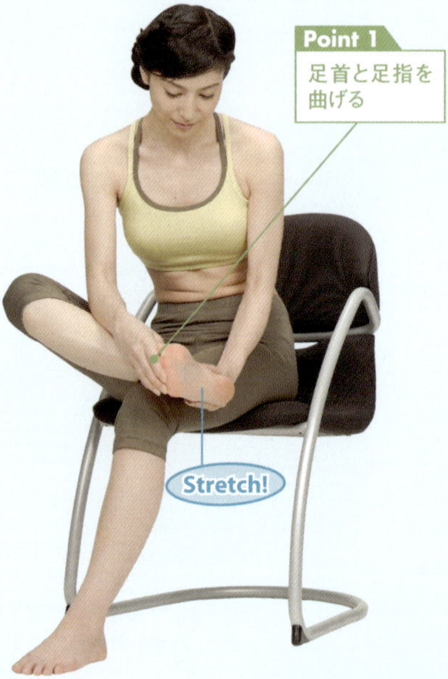
Point 1
足首と足指を曲げる
Stretch!

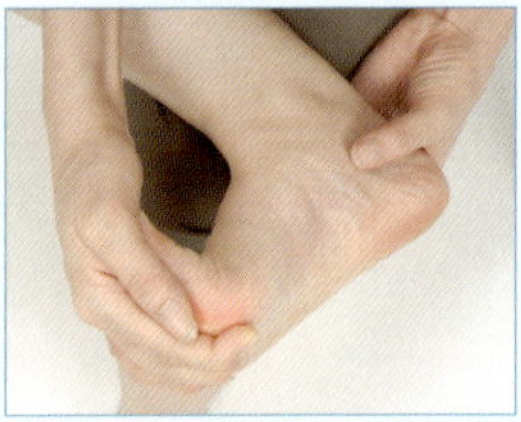

しっかり反らすと、筋肉がすじ状に浮き上がって見えます

File #012

よく伸びるのはなぜ？

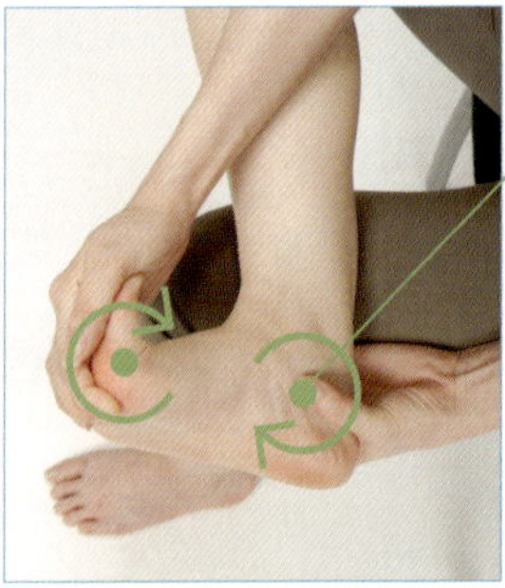

Point 1の理由

二関節ストレッチで伸びる

足底筋群のなかには足指と足首をまたぐ二関節筋も。つま先を反らすだけでなく、足首も曲げる「二関節ストレッチ」でよく伸びます

筋肉の特性

伸ばすメリット

足裏のアーチは全身の体重を絶えず支え続けるため、疲労がたまりやすい部位。つることも多く、立ち仕事や外回り仕事で疲労を感じたときなどはストレッチでケアを。

デリケートな足首に要注意!

足首の関節は、とくにデリケートにできている部位。足首を曲げたりひねったりするストレッチ種目では、いきなり強くおこなわず、加減しながら伸ばして。足首以外にも、手首や首など"首"がつくところはみなデリケート。とくに注意しておこないましょう。

Short Column

ヒール靴をはいた疲れはこまめに癒して

ハイヒールをはく機会の多い女性にとって、足裏は疲労がたまりやすい部位。疲労がひどくなると、つってしまう人もいるほどです。ハイヒールは、いわばつま先立ちで耐えている状態。足先のこまかい筋肉が酷使され、足裏のアーチにも不自然な負荷がかかるため、外反母趾などのトラブルが起こりやすくなります。ハイヒールをはいた日は、足底筋群のストレッチやマッサージで、しっかりケアをしてあげたいものです。

立っておこなう方法

壁や階段を利用してつま先を反らし、さらに体重を前方にかけて足首も曲げましょう

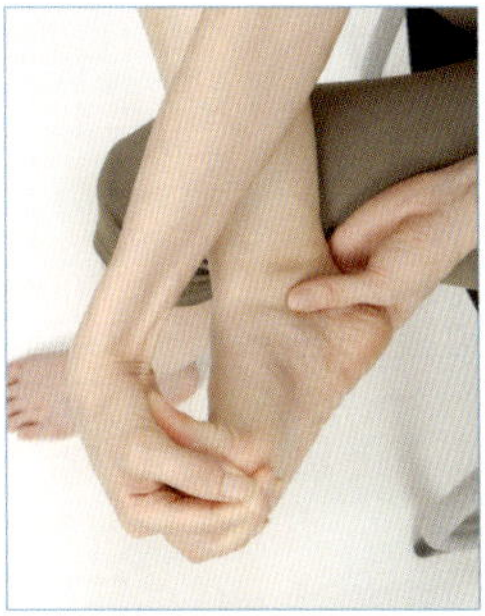

足首を伸ばすアレンジ法

足首を伸ばしたままつま先だけ反らすと、足底筋群のうち二関節筋ではない筋肉のストレッチになります

Ⅲ 肩関節まわり

13 胸部のストレッチ

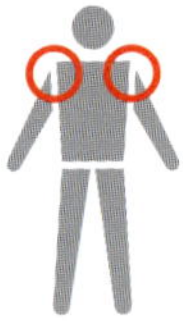

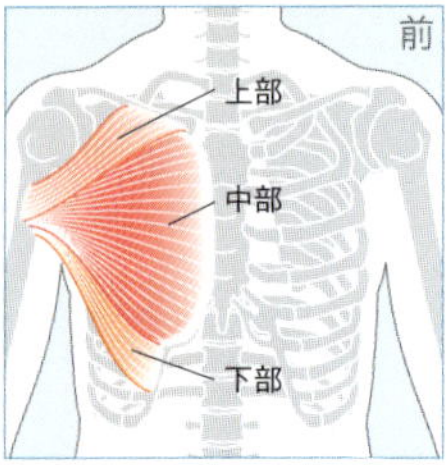

大《だい》胸《きょう》筋《きん》

Pectoralis major muscle

胸の前面にある扇状の大きな筋肉でいわゆる「胸板」と呼ばれる部分。おもに腕を前方に押し出す働きをします。多方向に動く肩関節につくため、動作方向も多様。上、中、下部に分けて伸ばします。

大胸筋 上部

1 手のひらを壁につける

大胸筋のおもに上部を伸ばすストレッチ。片腕を下ろして手のひらを壁につけ、胸を張ります

2 体を片側にねじる

上半身を壁から遠ざける方向にねじってキープ。大胸筋上部と、三角筋前部（P102）もよく伸びます。反対側も同様に

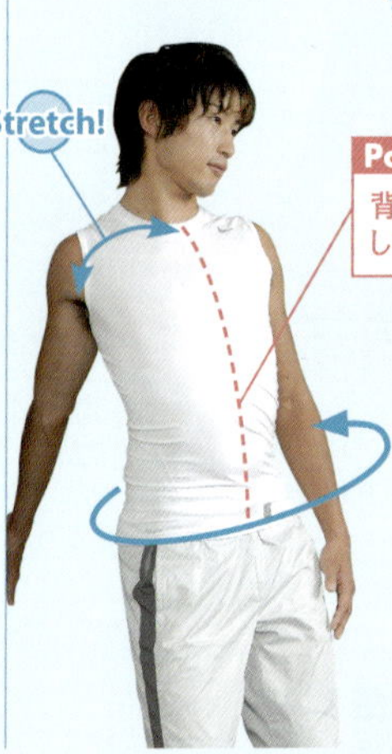
Point 1
背すじを伸ばして胸を張る

Easy
らくらくストレッチ

壁を使わず脚を引くだけでもストレッチに。両腕を斜め下に下げて後ろに引きます

File #013

よく伸びるのはなぜ？

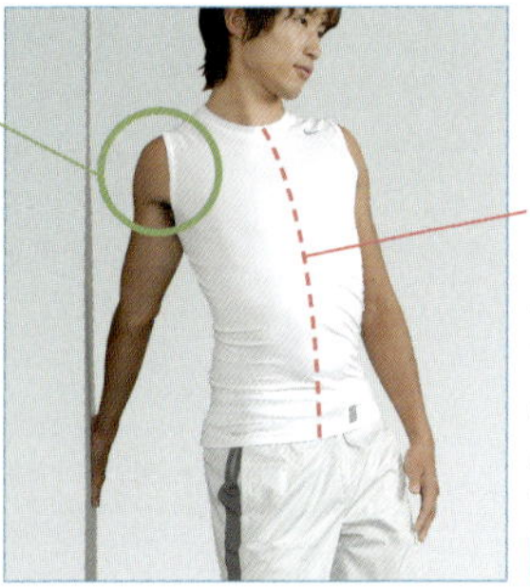

Point2の理由
多方向ストレッチで伸びる

多方向に動く肩関節につく扇状の大胸筋は、3方向に分けて伸ばす「多方向ストレッチ」が有効

筋肉の特性

Point1 の理由
胸を張るから伸びる

胸を張って体幹をねじることで、胸部にある大胸筋がよく伸びます

コアの操作

伸ばすメリット

投げたり打ったりといった、腕を前方に振り出す際に主要な働きをする筋肉。野球などの腕を振る競技で疲れやすいのでケアを。柔軟性が高まると、腕を大きく振り回す動作などがスムーズに。

大胸筋 中部

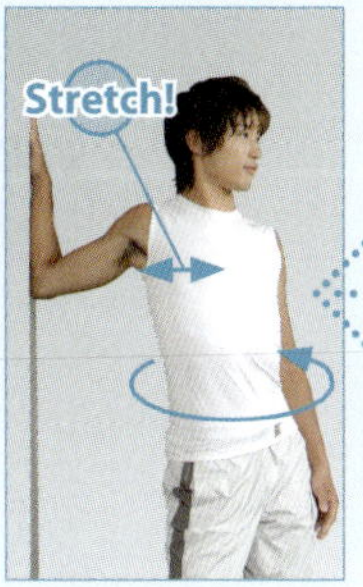

1 ひじを胸の高さに上げる

ひじを胸の高さに上げ、ひじから手のひらを壁につけます。胸をしっかりと張って

2 そのまま上半身をねじる

上半身を壁と反対方向にねじってキープ。反対側も同様に

Easy らくらくストレッチ

腕を胸の高さに上げて、後ろに引きます

大胸筋 下部

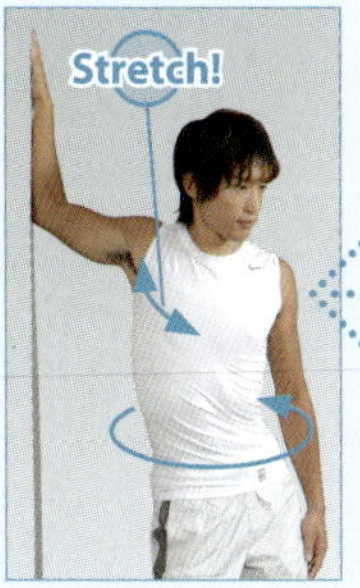

1 ひじをあごの高さに上げる

ひじをあごの高さに上げ、ひじから手のひらを壁につけます。胸を張って

2 体を左側へねじる

上半身を壁と反対方向にねじってキープ。反対側も同様に

Easy らくらくストレッチ

腕を斜め上に上げて、後ろに引きます

NG 背中が丸まる

背中が丸まると、胸につく大胸筋はゆるんでしまい、あまり伸びません

14 背中上部のストレッチ

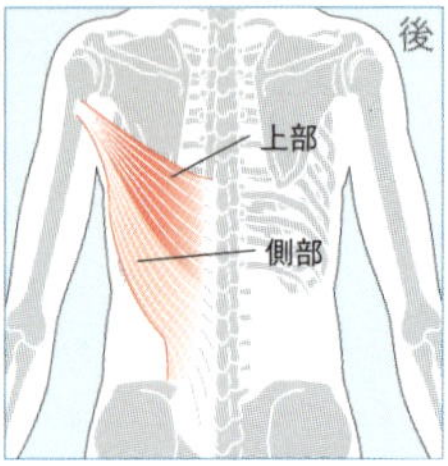

広《こう》背《はい》筋《きん》

Latissimus dorsi muscle

背中にある面積の広い筋肉で、逆三角形の体形では背中にV字をつくります。おもに腕を後方や下方に引く働きをします。多方向に動く肩関節につくため、動作方向も多様。上部と側部に分けて伸ばします。

広背筋 上部

Point 1 手のひらは内側に

1 直立して腕を前に伸ばす

足を肩幅に開いて立ち、手を組んでひじを伸ばします。手のひらは内側に向けて

Easy らくらくストレッチ

上半身の力を抜き重力にまかせて背中を丸めるだけでOK

File #014

よく伸びるのはなぜ？

Point2の理由

背中を丸めるから伸びる

広背筋のもう一端がつくのが脊柱まわり。背中を丸めると、体幹の背面を走る広背筋の上部がよく伸びます

コアの操作

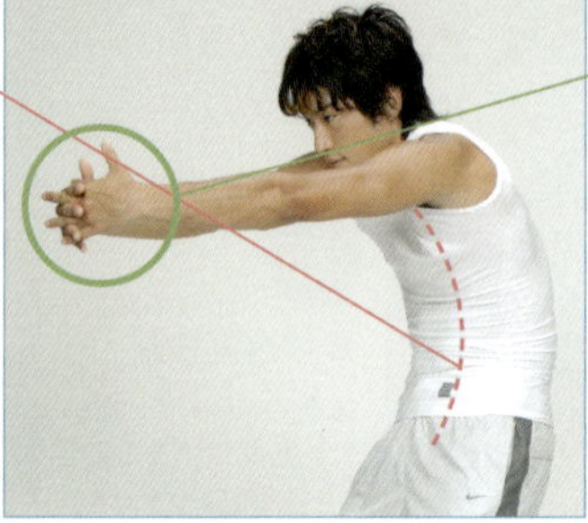

Point1の理由

力こぶが上を向くと伸びる

手のひらを内側に向けると、広背筋の一端のつく上腕の力こぶ側が背中から遠ざかるため、よく伸びます

筋肉の特性

伸ばすメリット

ボート漕ぎや柔道などの組み技がある格闘技など、強い力で腕を後方に引く動作がある競技では広背筋が酷使されるので、充分なケアを。また柔軟性を高めておくと、腕を大きく回す動作がスムーズに。

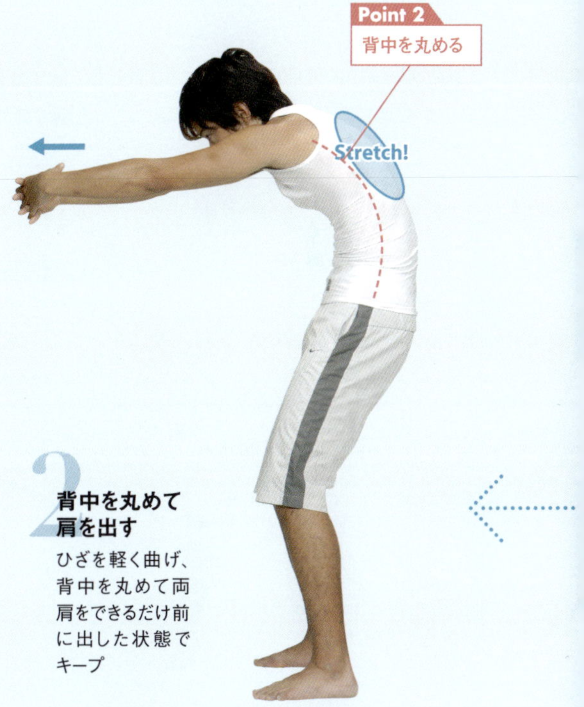

2 背中を丸めて肩を出す

ひざを軽く曲げ、背中を丸めて両肩をできるだけ前に出した状態でキープ

もっと強く伸ばす方法

壁や手すりなどにつかまって片側ずつ引っ張ると、より強い力で伸ばせます

NG

背すじがまっすぐ

背すじがまっすぐのまま手だけ前に伸ばしても、脊柱につく広背筋はあまり伸びません

NG

手のひらを返す

こうすると、広背筋の一端がつく上腕の力こぶ側が背中に近づくため、広背筋が伸びにくくなります

15 背中〜わきのストレッチ

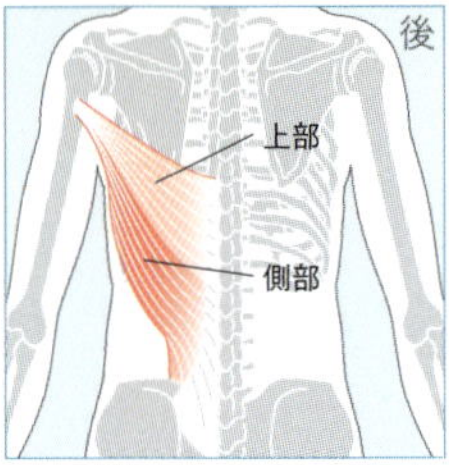

広背筋 側部

1 手を頭上で組む

脚を肩幅に開いて立ち、手を頭の上で組みます。手のひらは下を向けます

Point 1
手のひらは下向き

2 胸を張って上に伸びる

ひじを伸ばして上に大きく伸びます

File #015

よく伸びるのはなぜ？

Point1の理由

力こぶが内向きだと伸びる

手のひらを内側に向けると、広背筋の一端がつく力こぶ側が、もう一端がつく背中から遠ざかり、よく伸びます

筋肉の特性

Point2の理由

脊柱が曲がるから伸びる

体幹をしっかり曲げると、体幹の側面を走る広背筋の側部がよく伸びます

コアの操作

Easy

らくらくストレッチ

両手を上げておこなうのがつらいときは片手ずつでOK

3 上半身を横に曲げる

上半身が横に弓なりになるように倒してキープ。倒す側の手で反対の手を引っ張るようにして。反対側も同様に

Point 2
体幹を横に曲げる

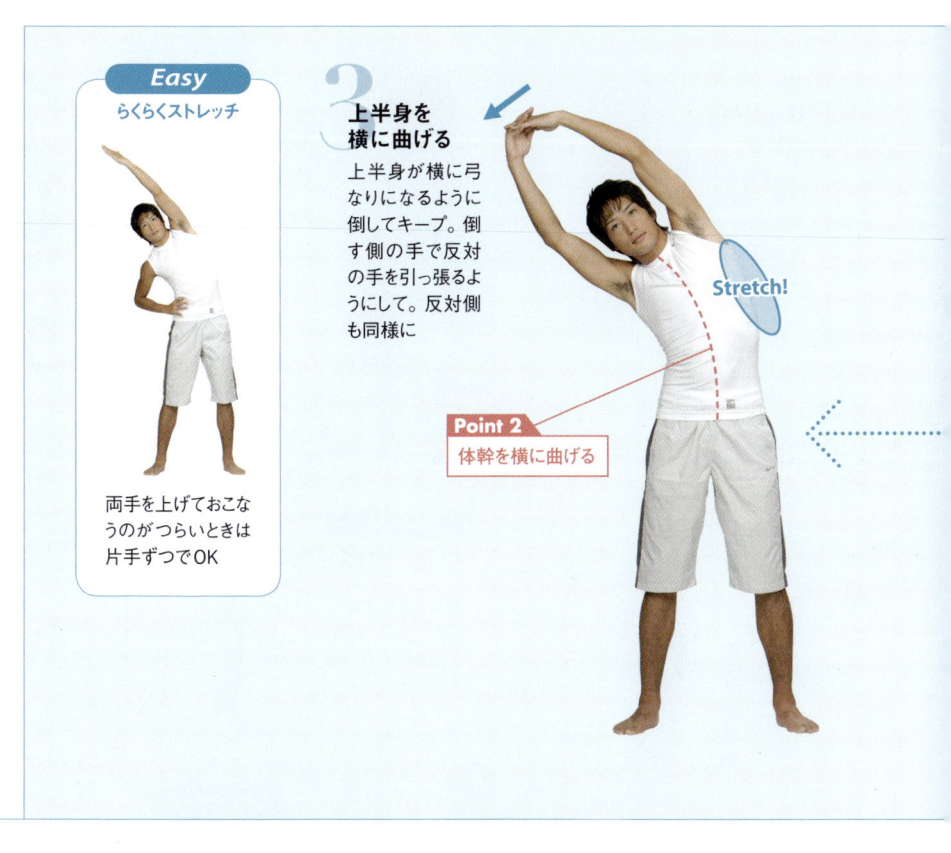

NG 上半身が前に倒れる

体が前に倒れると広背筋の下部はあまり伸びません

NG 股関節から倒す

股関節から上半身を曲げると、背すじはまっすぐのまま。体幹の側面を走る広背筋の側部はあまり伸びません

16 肩のストレッチ

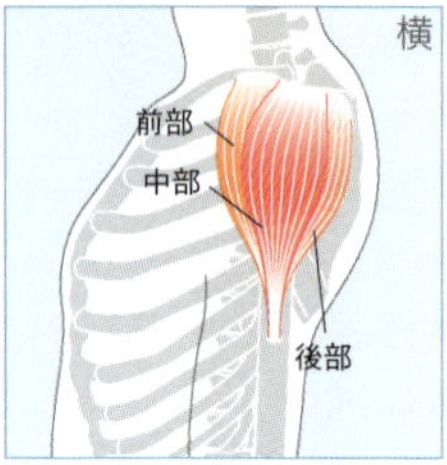

三《さん》角《かく》筋《きん》

Deltoid muscle

肩をおおう筋肉。前部はおもに腕を前に出す、中部は腕を横に上げる、後部は腕を後ろに引く働きをします。多方向の動きに合わせて、前部と中・後部に分ける「多方向ストレッチ」で伸ばします。

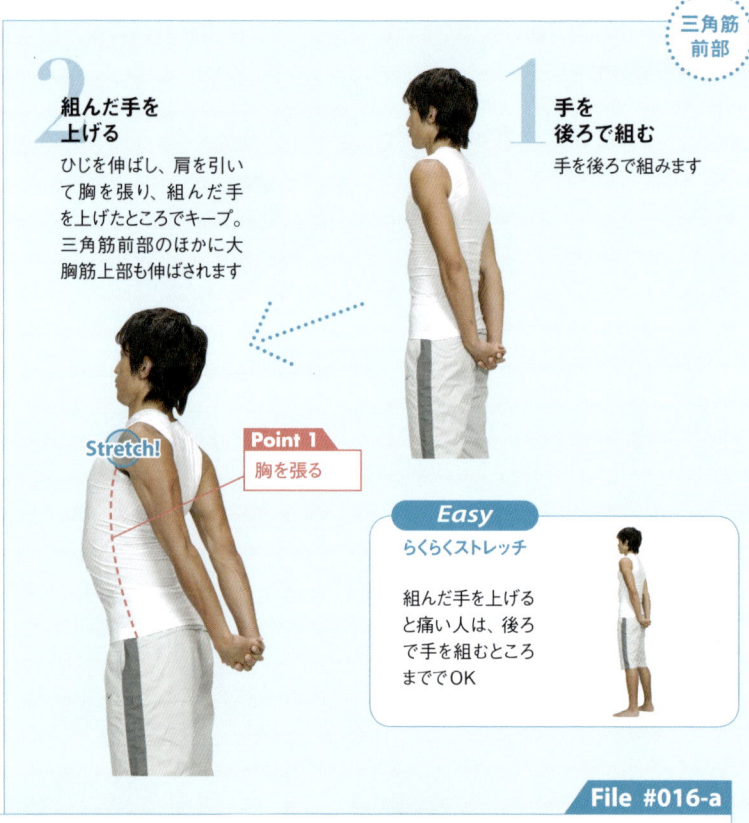

三角筋前部

1 手を後ろで組む

手を後ろで組みます

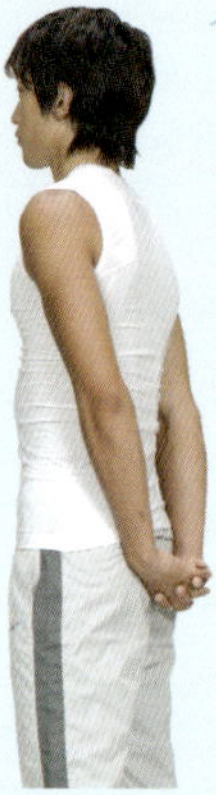

2 組んだ手を上げる

ひじを伸ばし、肩を引いて胸を張り、組んだ手を上げたところでキープ。三角筋前部のほかに大胸筋上部も伸ばされます

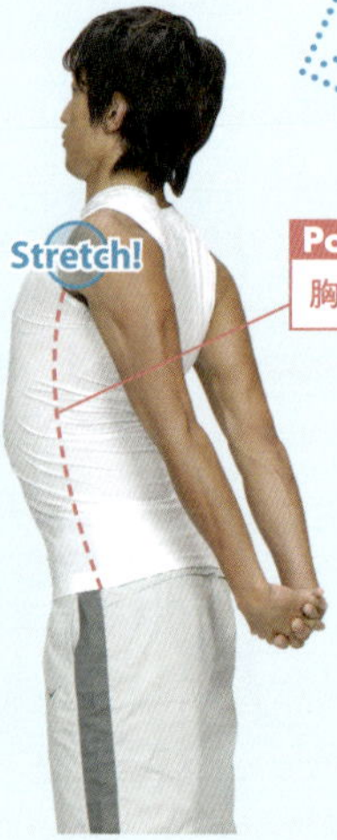

Point 1
胸を張る

Easy
らくらくストレッチ

組んだ手を上げると痛い人は、後ろで手を組むところまででOK

File #016-a

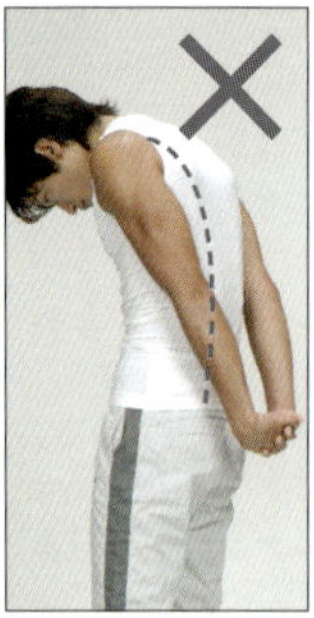

NG

背中が丸まる

後ろに引く腕につられて背中が丸まると、肩が前に逃げて、三角筋の前部はあまり伸びません

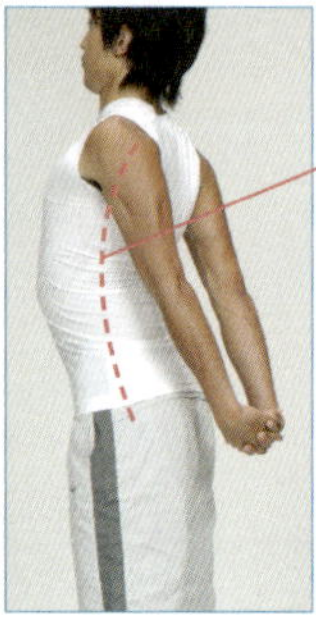

Point1 の理由

肩の前が固定されて伸びる

胸を張ると肩が固定され、肩前面につく三角筋前部がよく伸びます

コアの操作

基部の固定

よく伸びるのはなぜ？

伸ばすメリット

肩からぶら下がる腕を支える三角筋は、僧帽筋と同様にこりやすい部位。ほぐすために日ごろからこのストレッチを自然とやっている人も多いはず。柔軟性を高めると、腕を大きく回す動作などがスムーズに。

三角筋 中・後部

1 片腕を伸ばして ひじを持つ

腕を肩の高さに上げて前に伸ばし、もう片方の手でひじを持ちます

2 片手でもう片方の ひじを引く

肩は動かさず、片手でもう片方のひじを手前に引っ張ってキープ。反対側も同様に

Point 1

肩を固定する

File #016-b

壁を使うと意識しやすい

肩がどうしても回ってしまう人は壁を利用して。肩が壁から離れないように意識すると固定しやすくなります

よく伸びるのはなぜ？

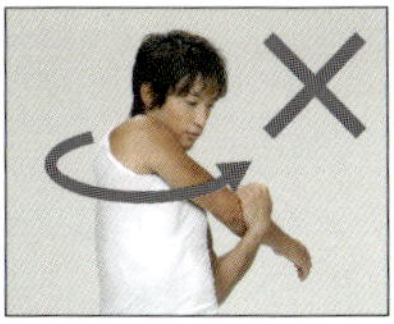

NG つられて 肩が回る

腕につられて肩まで回ってしまうと、三角筋はあまり伸びません

Point1 の理由

肩が固定されるから伸びる

肩の位置を固定して腕を引くと、肩関節につく三角筋がよく伸びます

基部の固定

17 肩〜首のストレッチ

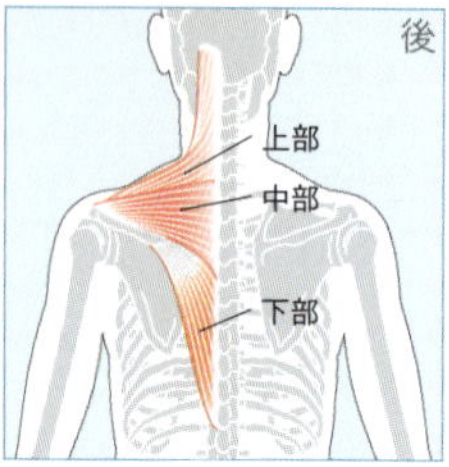

僧《そう》帽《ぼう》筋《きん》

Trapezius muscle

首の後ろに広がるひし形の筋肉。上部は肩を上げる、首を後ろに反らせるなどの働きが、中・下部は肩を後ろに引く働きがあります。多方向への動きに合わせて、上部と中・下部に分けて伸ばします。

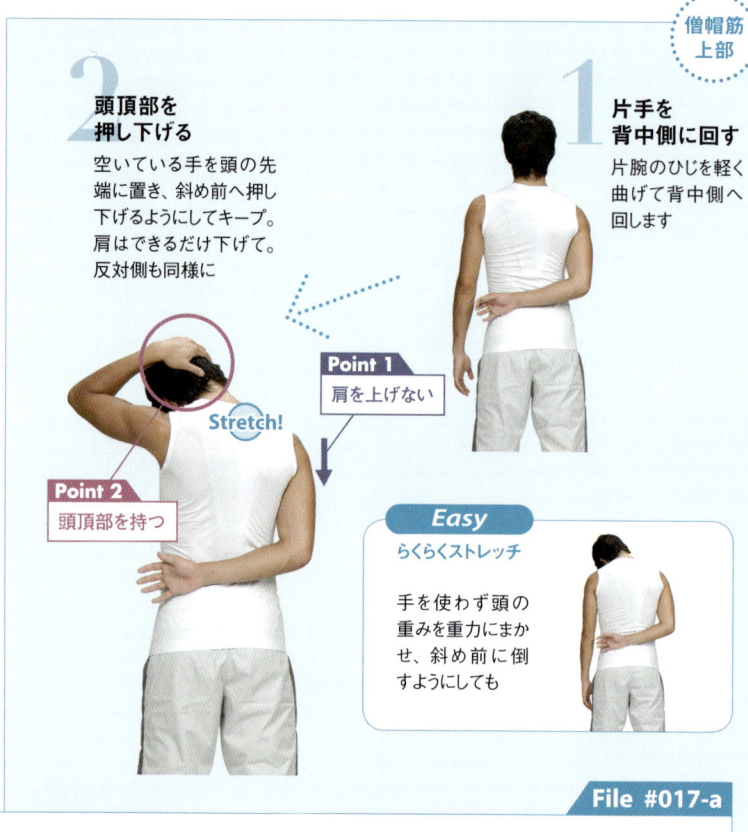

僧帽筋 上部

1 片手を背中側に回す

片腕のひじを軽く曲げて背中側へ回します

2 頭頂部を押し下げる

空いている手を頭の先端に置き、斜め前へ押し下げるようにしてキープ。肩はできるだけ下げて。反対側も同様に

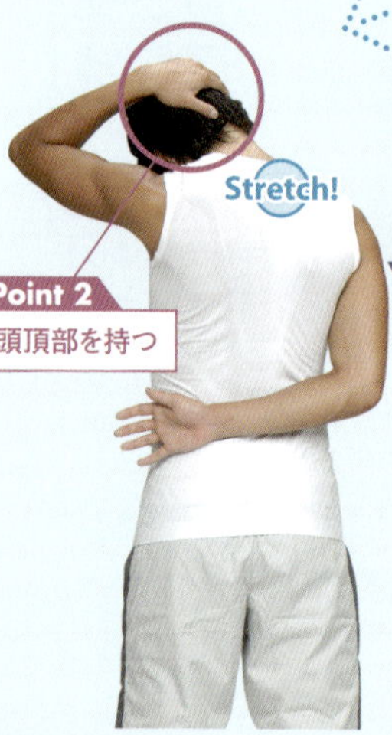

Point 1 肩を上げない

Point 2 頭頂部を持つ

Easy らくらくストレッチ

手を使わず頭の重みを重力にまかせ、斜め前に倒すようにしても

File #017-a

よく伸びるのはなぜ？

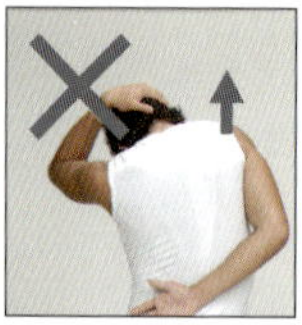

NG 肩が上がる

頭につられて肩が上がると、僧帽筋はあまり伸びません

Point2 の理由

テコが長いから伸びる

頭頂部を持つとテコが長くなるので、より大きな力で伸ばせます

テコの原理

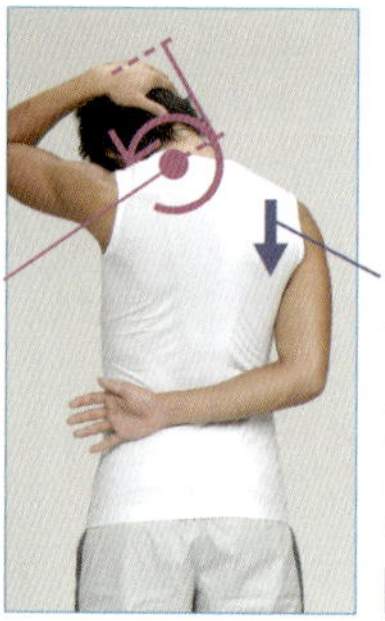

Point1 の理由

肩が固定されるから伸びる

肩を上げないことで、僧帽筋の基部が固定されてよく伸びます

基部の固定

伸ばすメリット

僧帽筋上部が硬くこわばるのが肩コリのおもな原因のひとつ。デスクワークなどで前傾姿勢が続くと負担になりやすいので、ストレッチでケアを。中・下部の柔軟性がアップすると、肩から腕にかけての動きがスムーズに。

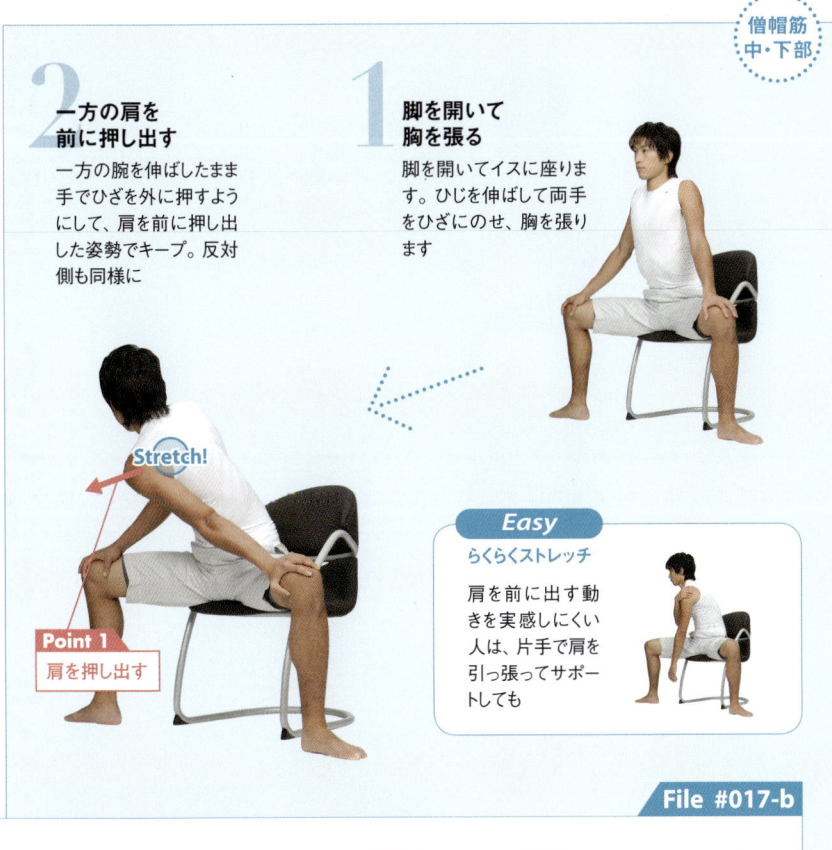

僧帽筋
中・下部

1 脚を開いて胸を張る

脚を開いてイスに座ります。ひじを伸ばして両手をひざにのせ、胸を張ります

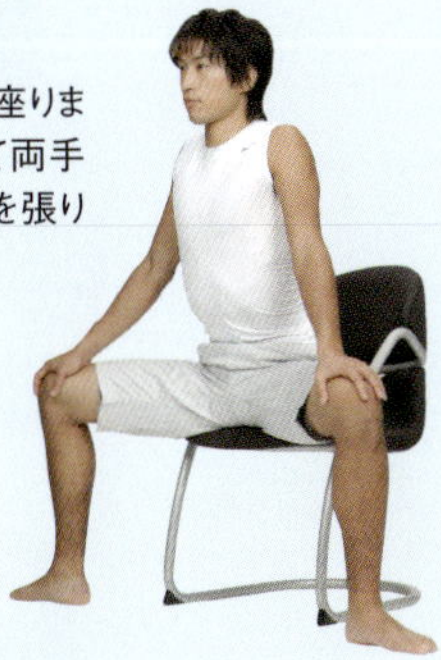

2 一方の肩を前に押し出す

一方の腕を伸ばしたまま手でひざを外に押すようにして、肩を前に押し出した姿勢でキープ。反対側も同様に

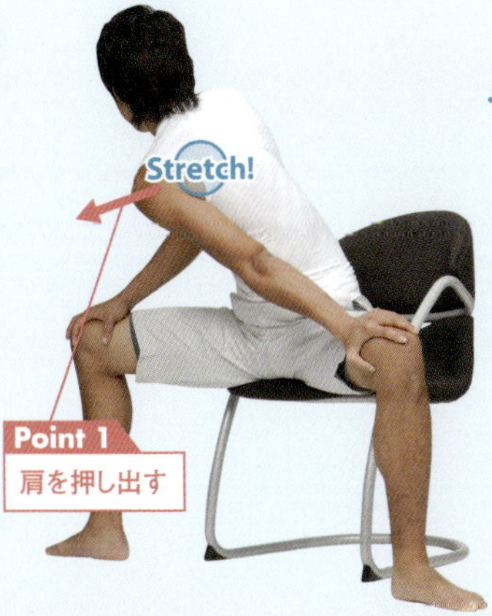

Easy

らくらくストレッチ

肩を前に出す動きを実感しにくい人は、片手で肩を引っ張ってサポートしても

File #017-b

よく伸びるのはなぜ？

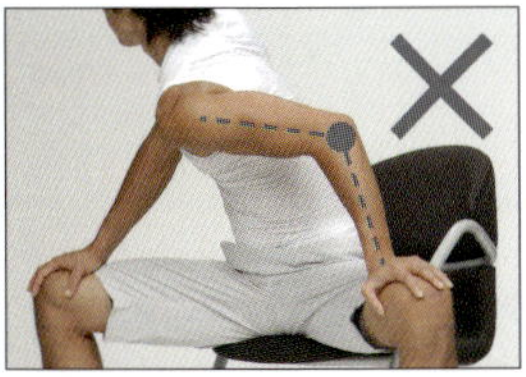

NG ひじが曲がる

ひじが曲がると、肩を前に押し出す力が弱まります

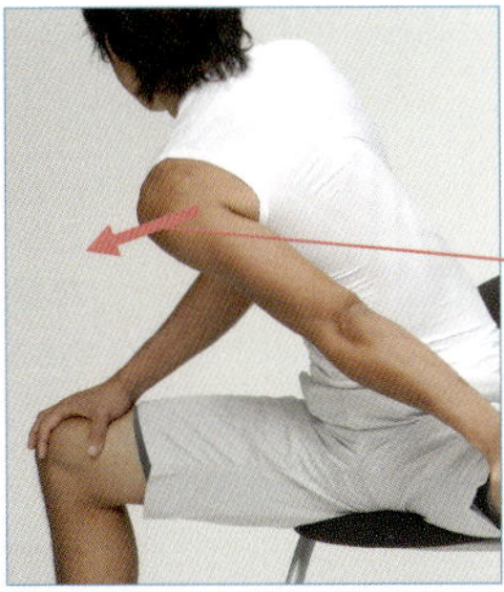

Point1 の理由

前に押し出すから伸びる

肩を前に押し出す力で、僧帽筋中・下部がよく伸びます

コアの操作

18 肩深部（背面）のストレッチ

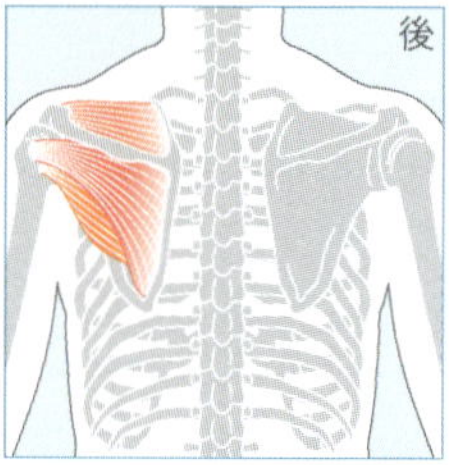

ローテーターカフ（外旋筋）

Rotater cuff（external rotation）

肩関節まわりのインナーマッスル。多方向に動く肩関節を安定させるのがおもな働き。そのうち棘上筋《きょくじょうきん》、棘《きょく》下筋《かきん》、小円筋《しょうえんきん》は肩甲骨の背面にあり、腕を外側にひねる（外旋）方向から肩関節を支えます。

1 片腕を背中側へ回す

足を肩幅に開いて立ち、片腕のひじを曲げて背中側に回します

File #018

よく伸びるのはなぜ？

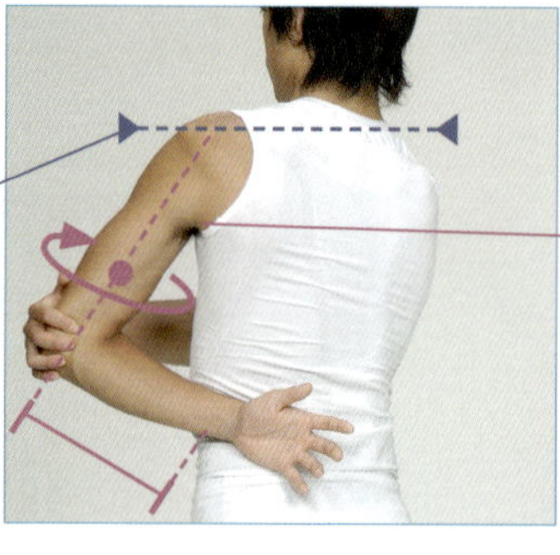

Point2の理由

肩が固定されるから伸びる

肩を動かさないことで、ローテーターカフの基部が固定されてよく伸びます

基部の固定

Point1の理由

わきを開くから伸びる

わきを開くと上腕をねじるテコが長くなり、よく伸びます

テコの原理

伸ばすメリット

投げたり、打ったり、たたいたりなど、腕を強く振り回すスポーツで、肩関節安定のために酷使される部位。ローテーターカフのコンディションを保つことは、肩の故障の予防にも効果的です。

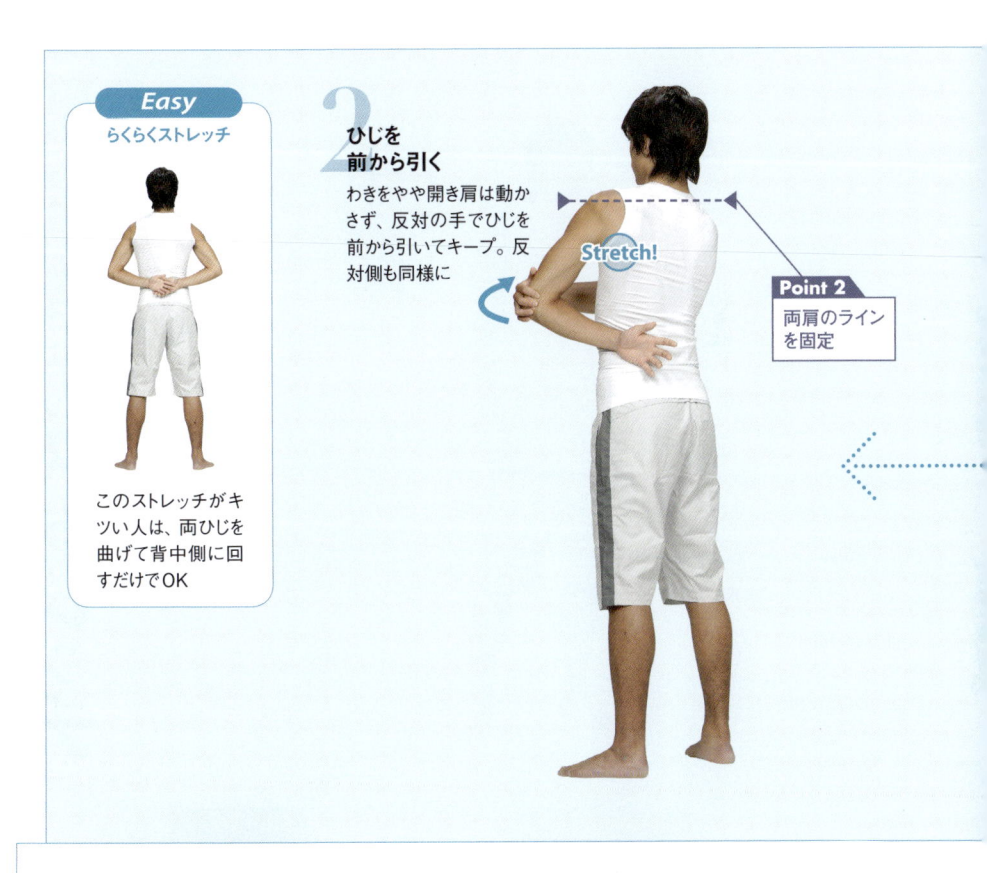

Easy
らくらくストレッチ

このストレッチがキツい人は、両ひじを曲げて背中側に回すだけでOK

2 ひじを前から引く

わきをやや開き肩は動かさず、反対の手でひじを前から引いてキープ。反対側も同様に

Point 2
両肩のラインを固定

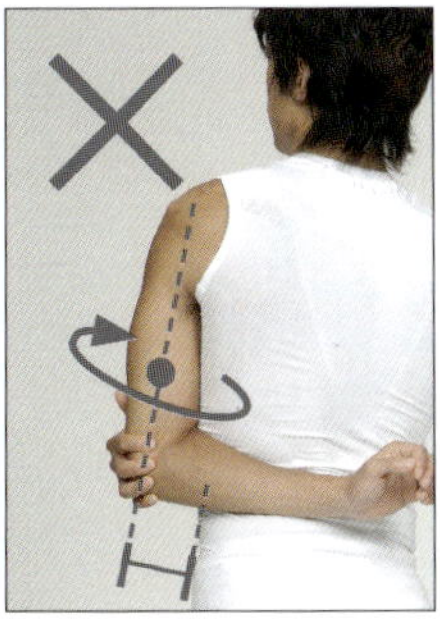

NG
わきを締める
わきを締めると上腕をねじるテコが短くなり、強く伸ばせません

NG
肩が回る
ひじにつられて肩がいっしょに回ってしまうと、筋肉の基部が逃げてしまうためあまり伸びません

19 肩深部（前面）のストレッチ

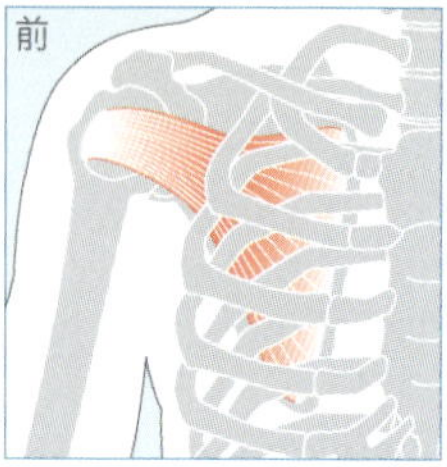

ローテーターカフ（内旋筋）

Rotater cuff (internal rotation)

肩関節の動きを安定させる働きをもちます。腕を外側にひねる（外旋）方向から肩関節を支える3つの筋肉と、腕を内側にひねる（内旋）方向から肩関節を支える肩甲《けんこう》下《か》筋《きん》の４つの筋肉で構成されています。

1 片手を壁につけて立つ

壁の横に立ち、片手のひらをひじの高さにして壁面につけます

File #019

よく伸びるのはなぜ？

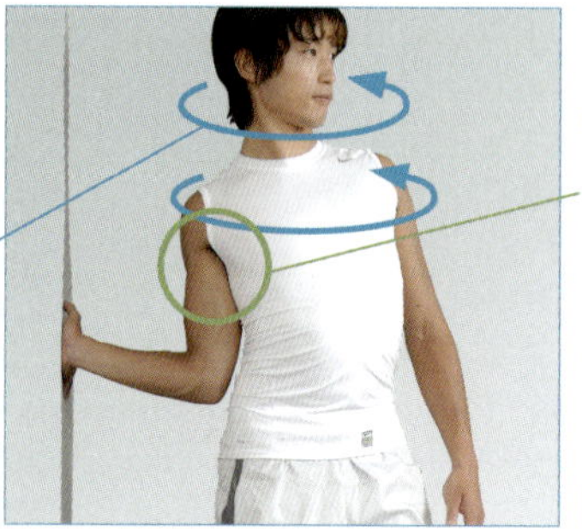

Point2 の理由

顔を向けて体をねじる

上半身をねじる方向に顔を向けることで、上半身がねじりやすくなりよく伸びます

Point1 の理由

上腕をねじるから伸びる

わきを締めることで、上腕を外側にねじる（外旋）動作がしやすくなりよく伸びます

筋肉の特性

伸ばすメリット

P106、107の外旋筋と合わせて、野球の投手が念入りにトレーニングやストレッチをする部位としても有名。腕を激しく振り回す競技で、とくにケアが重要視されています。

Easy

らくらくストレッチ

わきを締めて両腕をひじから左右に広げ、手のひらを背中側に引けばOK

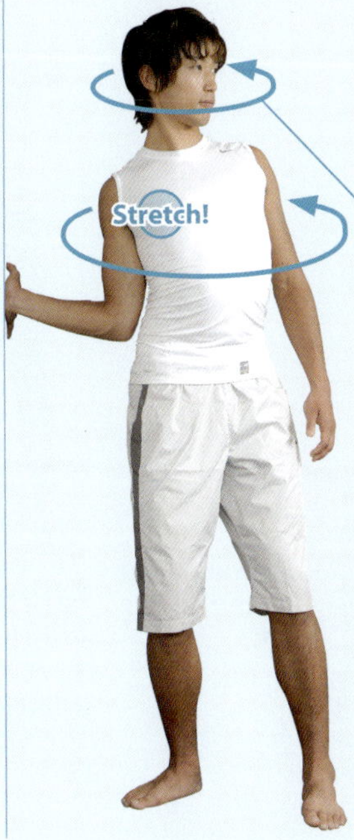

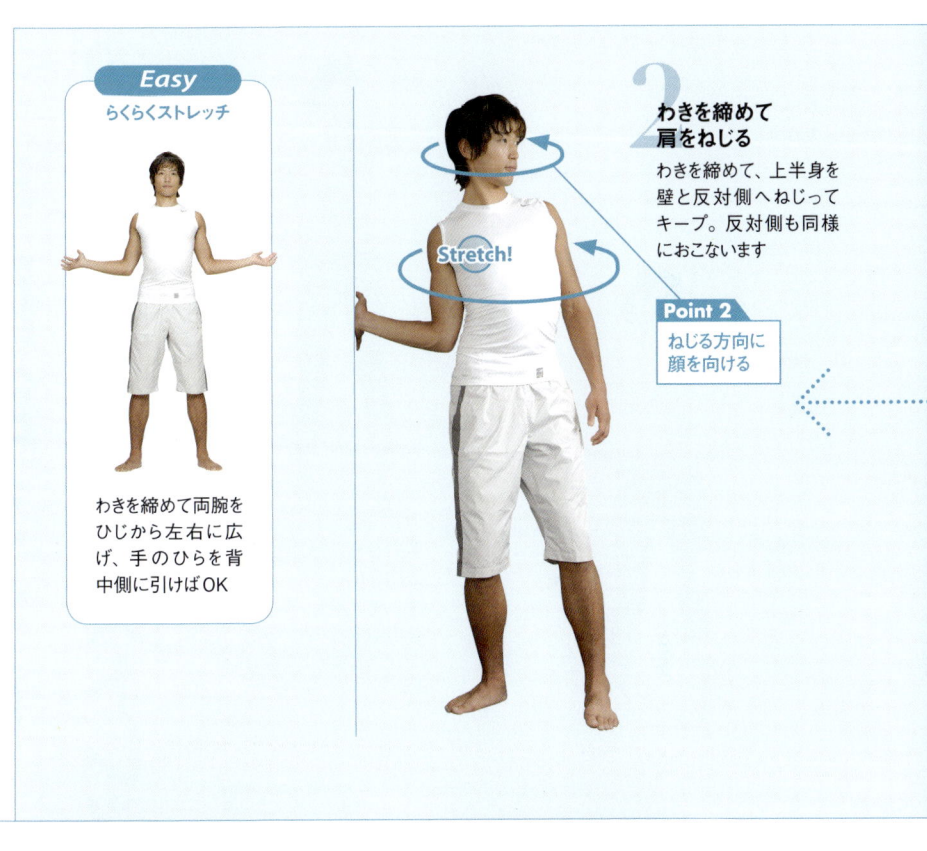

2 わきを締めて肩をねじる

わきを締めて、上半身を壁と反対側へねじってキープ。反対側も同様におこないます

Point 2

ねじる方向に顔を向ける

NG

顔が壁側を向く

顔が壁側を向いていると、上半身をねじりにくくなります

NG

わきが開く

わきが開いてひじが体から離れると、上腕をねじりにくくなるので、あまり伸びません

Ⅳ ひじ・手関節まわり

20 二の腕内側のストレッチ

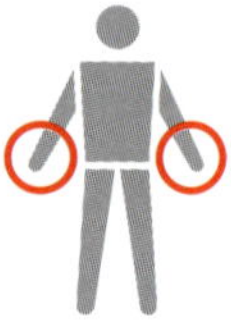

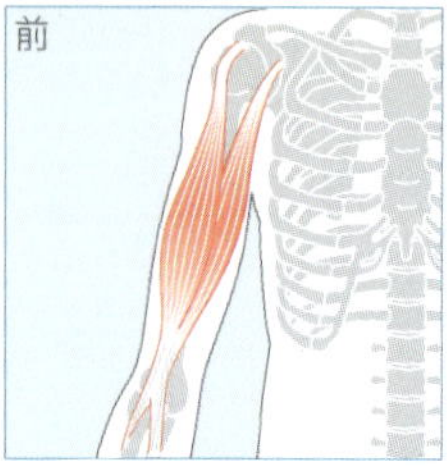

上《じょう》腕《わん》二《に》頭《とう》筋《きん》

Biceps brachii muscle

上腕表側にある力こぶの筋肉。ひじを曲げる働きがあり、一部はひじ関節と肩関節をまたぐ二関節筋。前腕を内側にひねる働きもあり、ひじを伸ばして腕を引く「二関節ストレッチ」に、前腕を外側にひねる動きを加えて伸ばします。

1 手のひらと力こぶを上向きに

壁の横に立ち、片腕を肩の高さに上げて、手のひらと力こぶを上に向けます

2 手のひらだけを下向きに

力こぶは上を向いたまま、手のひらだけが下を向くように、ひじから先をねじります

File #020

よく伸びるのはなぜ?

Point1 の理由

ひじから先を内側にねじる

上腕二頭筋はひじから先を外側にねじる働きもあるので、内側にねじることでよく伸びます

筋肉の特性

伸ばすメリット

荷物を持ったりふき掃除をしたり、日常生活で意外にひんぱんに使われ、疲れがたまりやすい部位。とくに女性はハンドバッグを持つ動作でかなり酷使されるので、ストレッチでしっかりケアを。

Easy

らくらくストレッチ

腕を肩の高さに上げる

腕を肩の高さに上げ、手のひらを真上に向けます

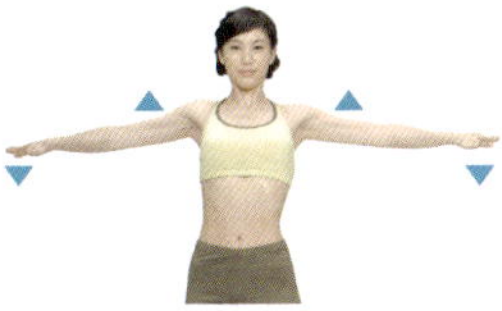

力こぶは上を向いたまま、手のひらだけ下向きになるように、ひじから先をねじります

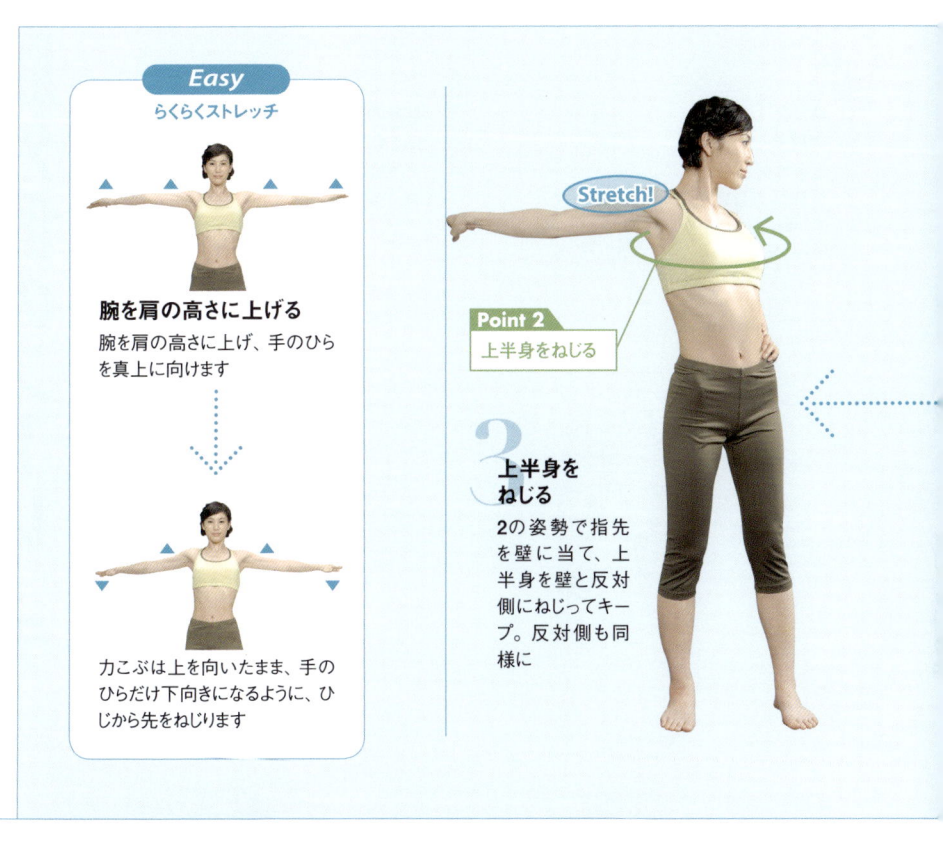

3 上半身をねじる

2の姿勢で指先を壁に当て、上半身を壁と反対側にねじってキープ。反対側も同様に

NG **力こぶが下を向く**

腕が内側にねじれ、力こぶが下や正面を向くと伸びません

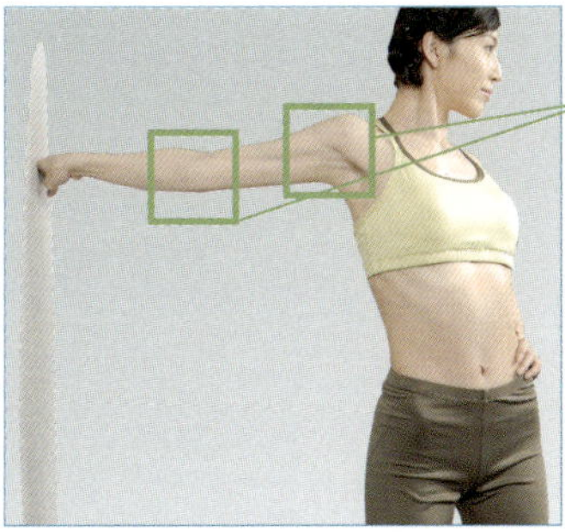

Point2の理由

二関節ストレッチで伸びる

上腕二頭筋の一部は、ひじと肩関節をまたぎます。ひじを伸ばし腕を引く「二関節ストレッチ」でよく伸びます

筋肉の特性

21 二の腕外側のストレッチ

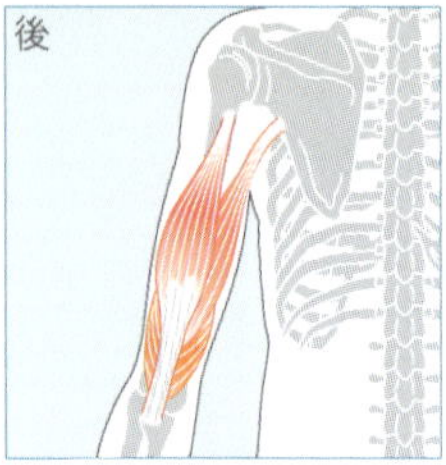

上《じょう》腕《わん》三《さん》頭《とう》筋《きん》

Triceps brachii muscle

上腕の裏側にある筋肉。おもにひじを伸ばす働きをします。上腕三頭筋の一部は、ひじと肩の関節をまたぐ二関節筋。ひじを曲げて腕を頭の後ろに引く「二関節ストレッチ」で伸ばします。

1 片方のひじを曲げる

ひじを曲げて手で肩をさわります

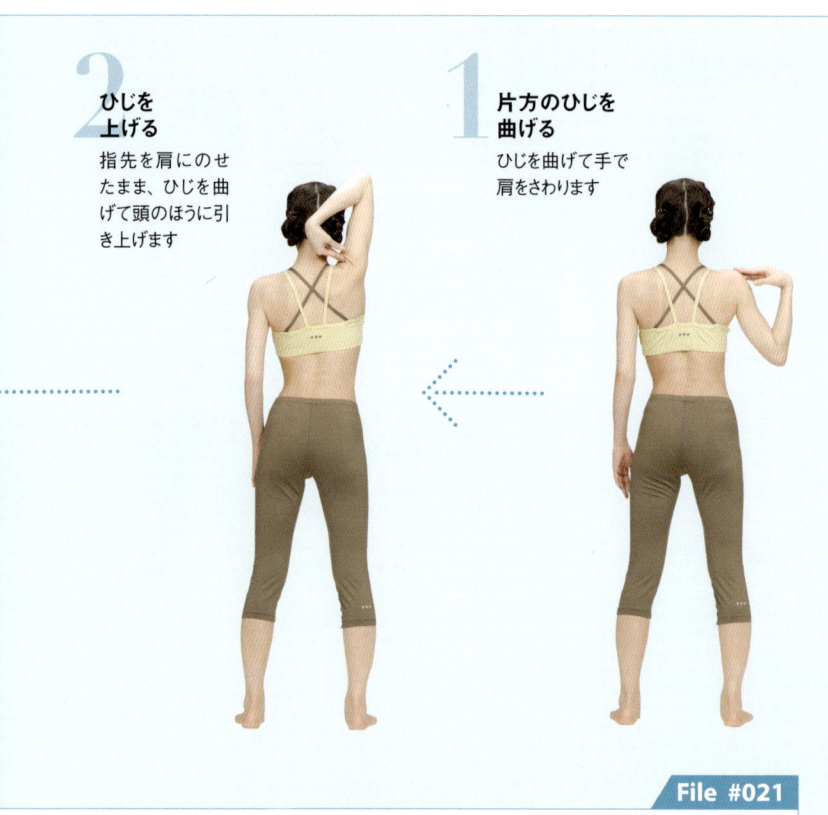

2 ひじを上げる

指先を肩にのせたまま、ひじを曲げて頭のほうに引き上げます

File #021

よく伸びるのはなぜ？

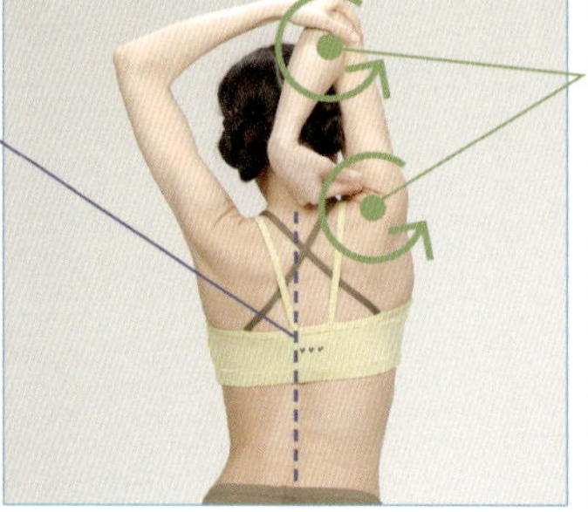

Point1の理由

二関節ストレッチで伸びる

上腕三頭筋の一部はひじと肩の関節をまたぎます。ひじを曲げてから引く「二関節ストレッチ」で伸びます

筋肉の特性

Point2の理由

上半身が固定されて伸びる

上半身をまっすぐ固定することで、上腕三頭筋の基部の肩が固定されてよく伸びます

基部の固定

伸ばすメリット

日常動作ではあまり使われない筋肉ですが、テニスや野球などの腕を使うスポーツでは酷使されるので、ストレッチでしっかりケアを。日ごろ使わないだけに、いきなり使うと疲労しやすい部位と言えます。

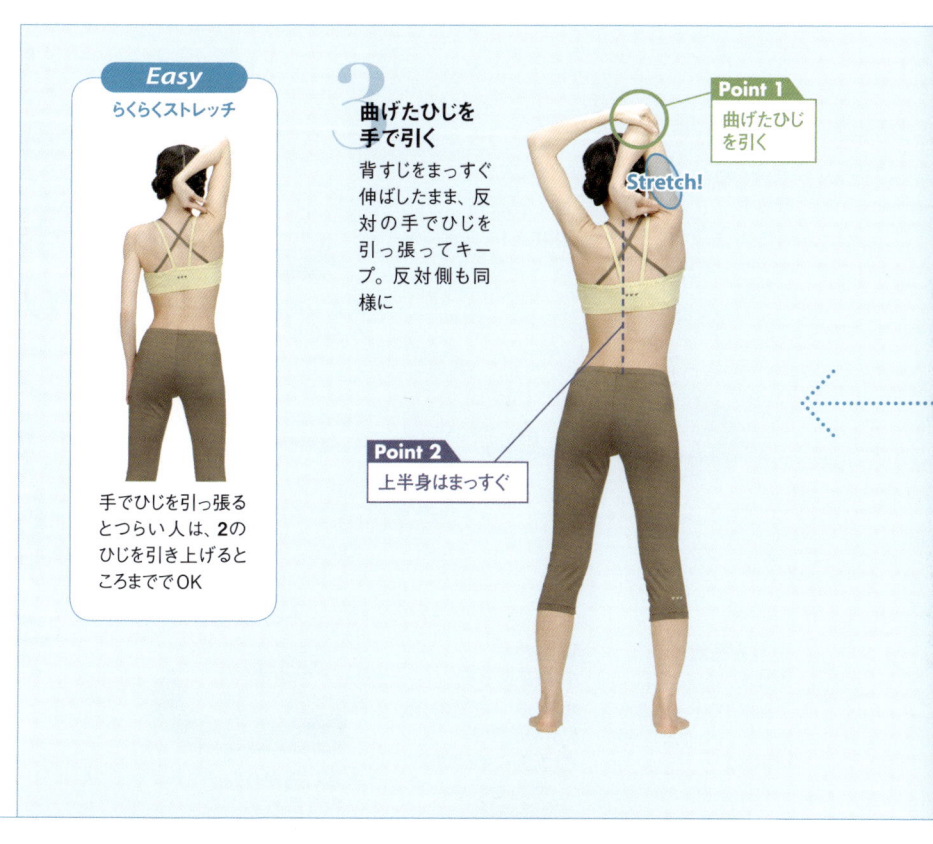

Easy

らくらくストレッチ

手でひじを引っ張るとつらい人は、2のひじを引き上げるところまででOK

3 曲げたひじを手で引く

背すじをまっすぐ伸ばしたまま、反対の手でひじを引っ張ってキープ。反対側も同様に

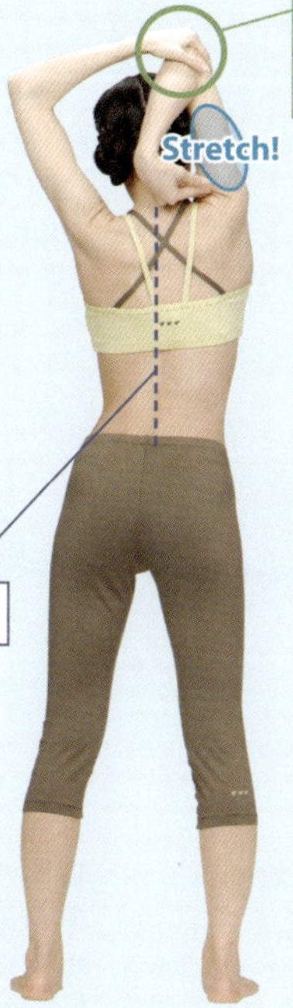

Point 1
曲げたひじを引く

Point 2
上半身はまっすぐ

NG

ひじが開く

ひじをきちんと曲げないと、ひじと肩の関節をまたぐ二関節筋である上腕三頭筋は、あまり伸びません

NG

体が逃げる

ひじにつられて上半身が横に倒れると、上腕三頭筋の基部が逃げてしまい、あまり伸びません

22 ひじ〜手指のストレッチ

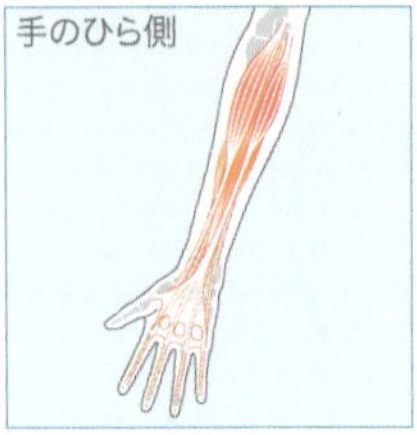

前《ぜん》腕《わん》屈《くっ》筋《きん》群《ぐん》

Flexor muscles of forearm

前腕の手のひら側につく筋肉の総称。おもに手首と手の指を曲げる働きをします。ひじ関節をまたいで上腕から伸びる筋肉と、ひじ関節をまたがない筋肉があるため、ひじを伸ばしておこなう「二関節ストレッチ」と伸ばさない方法に分けておこないます。

ひじを伸ばして

手首を手前に反らす

手首だけを手前に反らせてキープ。反対の手も同様に

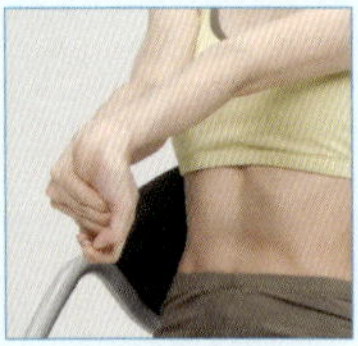

親指から小指を反らす

親指も入れて全部の指を手前に反らせてキープ。反対の手も同様に

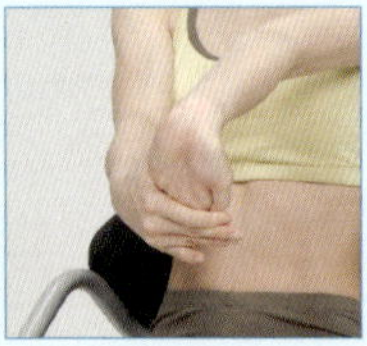

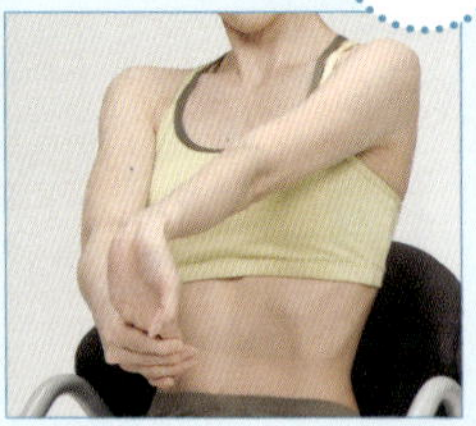

人差し指から小指を反らす

イスに座りひじをまっすぐ伸ばし、人差し指から小指までの4本の指を手前に引いてキープ。反対の手も同様に

ひじを曲げて

手首を手前に反らす

手首だけを手前に反らせてキープ。反対の手も同様に

親指から小指を反らす

親指も入れて全部の指を手前に反らせてキープ。反対の手も同様に

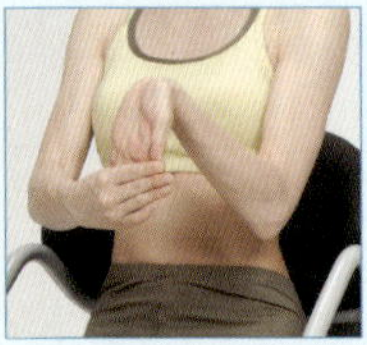

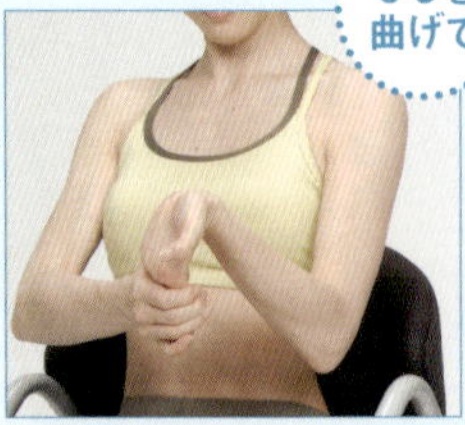

人差し指から小指を反らす

ひじを曲げ、人差し指から小指までの4本の指を手前に反らしてキープ。反対の手も同様に

伸ばすメリット

おもに手首や指を曲げる働きをになうため、パソコン作業など手先を使う仕事で疲れがたまりやすい部位。仕事の合間などにストレッチでよくほぐしてケアしましょう。マッサージもあわせておこなうと、より効果的。

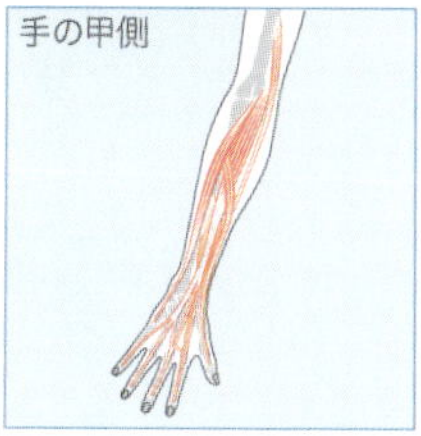

前《ぜん》腕《わん》伸《しん》筋《きん》群《ぐん》

Extensor muscles of forearm

前腕の手の甲側につく筋肉の総称。おもに手首と手の指を伸ばす働きをします。ひじ関節をまたいで上腕から伸びる筋肉は、ひじを伸ばしておこなう「二関節ストレッチ」を。ひじ関節をまたがない筋肉は、ひじを曲げておこなうストレッチで伸ばします。

手の甲をねじる

時計回りにねじる

ひじを曲げ、手首を時計回りにねじります。反対の手も同様に

反時計回りにねじる

ひじを曲げ、手首を反時計回りにねじります。反対の手も同様に

ひじを曲げて

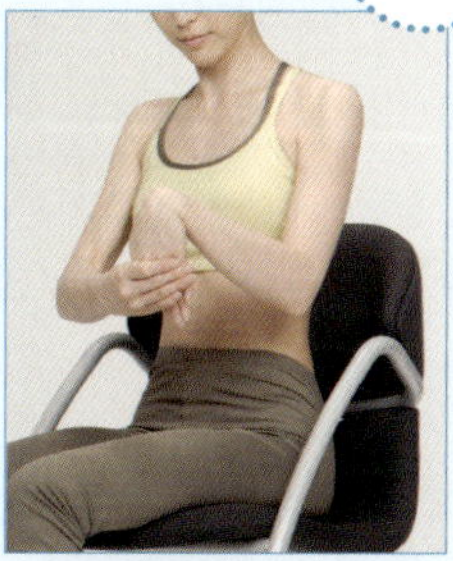

ひじを曲げて手首を曲げる

ひじを軽く曲げて、右と同様に手首を曲げます。反対の手も同様に

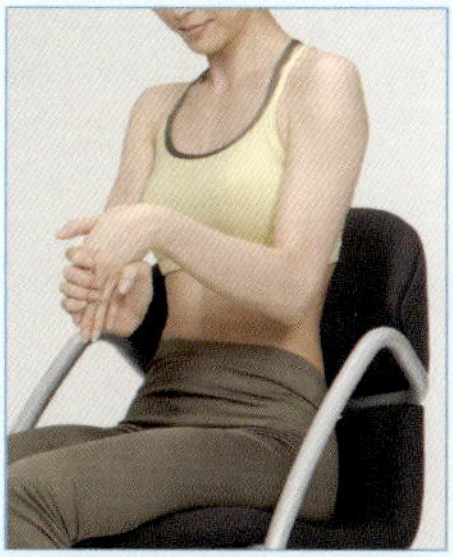

ひじを曲げて手首を小指側へ

ひじを軽く曲げて、右と同様に手首を曲げます。反対の手も同様に

ひじを伸ばして

ひじを伸ばして手首を曲げる

ひじを伸ばして、手首を反対の手で手のひら側に曲げてキープ。反対の手も同様に

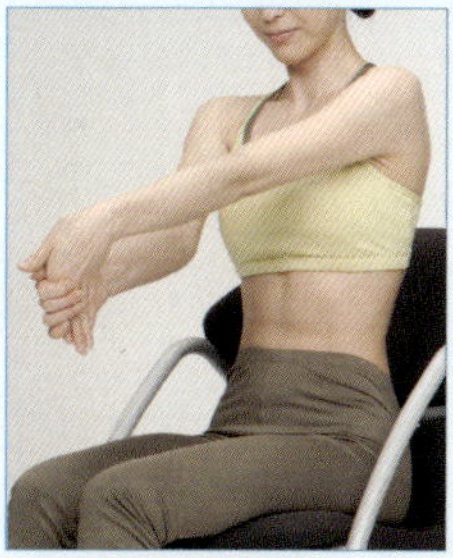

ひじを伸ばして手首を小指側に

ひじを伸ばし、反対の手で手首を小指側に曲げてキープ。反対の手も同様に

伸ばすメリット

おもに手首や指を伸ばす働きをになうため、手先をつかうパソコン作業などで酷使される部位。ストレッチでよくほぐしてコンディションを良くしておけば、デスクワークの能率も上がるはず。

V 脊柱・骨盤まわり

23 おなかのストレッチ

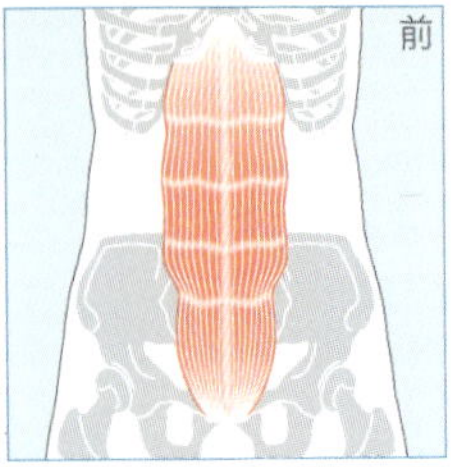

腹《ふく》直《ちょく》筋《きん》

Abdominal rectus muscle

おなかにある大きな筋肉。おもに背中を丸めて体幹を前に倒す働きをします。背筋群とともに前後から背骨を支えて、姿勢の維持にも重要な働きをします。また、内臓が下垂しないように支える働きもになっています。

1 うつぶせで手は胸の横に

うつぶせになり、わきを締めて両手を胸の横につきます

Easy

らくらくストレッチ

腰が痛い人や、上半身を反らすのがつらい人は、ひじを床につけた姿勢でキープ

File #023

よく伸びるのはなぜ?

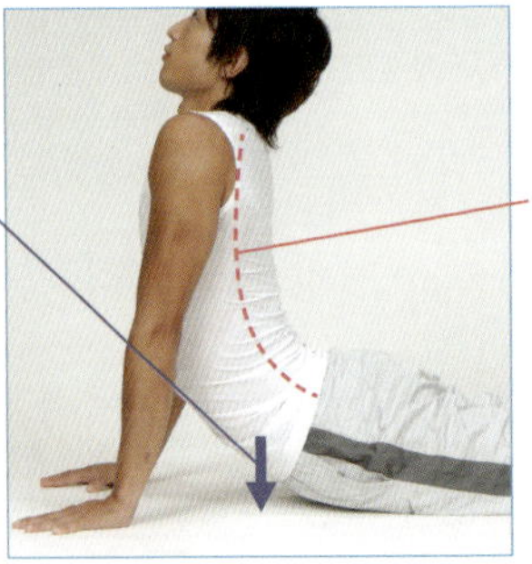

Point1 の理由

体幹が反るから伸びる

背中を反らせると、おなか側につく腹直筋が引っ張られてよく伸びます

コアの操作

Point2 の理由

腰が逃げないから伸びる

腰を床にぴったりつけておくと、腹直筋の基部が固定できてよく伸びます

基部の固定

伸ばすメリット

上半身の姿勢維持のために、つねに使われている筋肉なので、それだけ疲労もたまっています。ストレッチでしっかりケアしてあげましょう。また、姿勢を維持する腹直筋の柔軟性を高めておくことは、腰痛予防にも役立ちます。

立っておこなう方法

手を腰に当て、上半身を反らして伸ばします

イスでおこなう方法

イスに座って同じように上半身を反らせる方法もおすすめ。腰の位置を固定できるので、背中を反らしやすくなります

2 背中を反らせる

手で床を押して上半身を起こし、背中を反らしてキープ

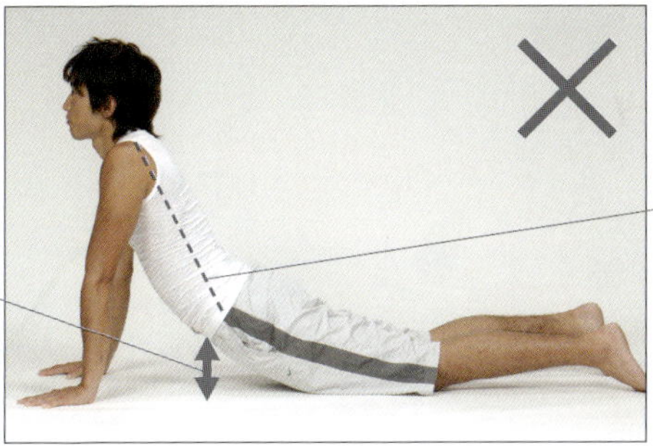

NG

腰が浮く

腰が床から浮くと、腹直筋の基部が逃げてしまい、あまり伸びません

NG

背中を反らさない

背中を反らさずに上半身を起こしても、おなか側につく腹直筋はあまり伸びません

24 わき腹のストレッチ

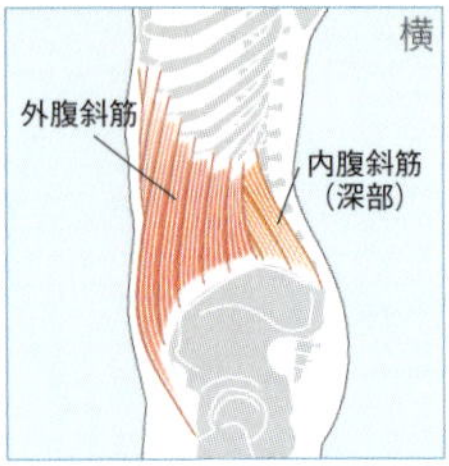

内《ない》・外《がい》腹《ふく》斜《しゃ》筋《きん》

Internal - External abdominal oblique muscle

わき腹にある筋肉。外側にある外腹斜筋と、その奥にある内腹斜筋からなる。体を横に曲げたりねじったりするおもな働きに加え、腹直筋とともに前に曲げる働きも。腰がいっしょに回って逃げやすいので、しっかり固定して伸ばして。

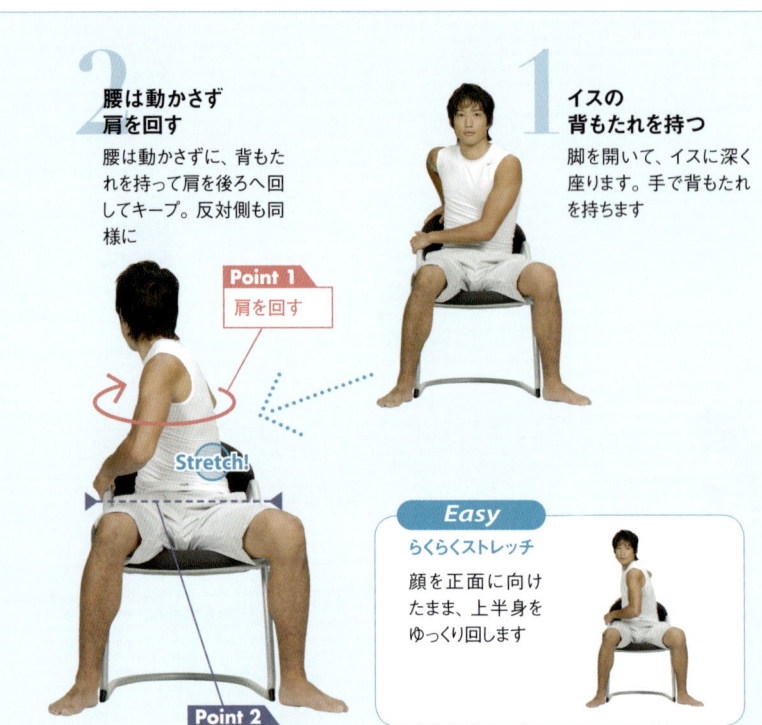

1 イスの背もたれを持つ

脚を開いて、イスに深く座ります。手で背もたれを持ちます

2 腰は動かさず肩を回す

腰は動かさずに、背もたれを持って肩を後ろへ回してキープ。反対側も同様に

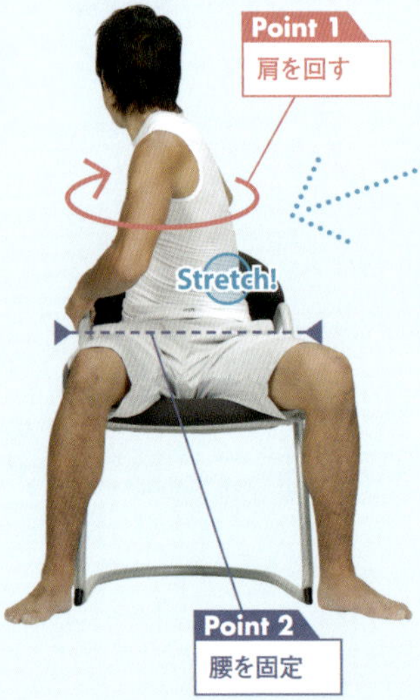

Easy

らくらくストレッチ

顔を正面に向けたまま、上半身をゆっくり回します

File #024

よく伸びるのはなぜ？

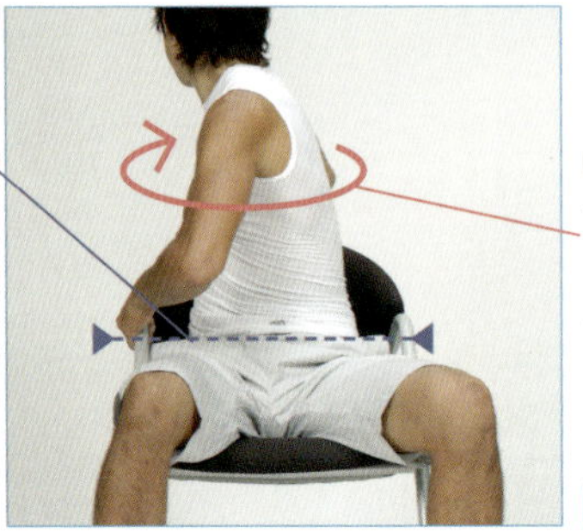

Point2の理由

腰が逃げないから伸びる

内・外腹斜筋の基部となる腰（骨盤）を動かさずにねじると、わき腹がよく伸びます

基部の固定

Point1の理由

体幹をねじる動作で伸びる

肩を回すことで内・外腹斜筋がつく体幹がねじれ、よく伸びます

コアの操作

伸ばすメリット

投げる、打つなどの腕を振り回すスポーツでは、下半身の力を、体をねじる動作などを通して腕に伝える「うねる」動作が不可欠。その過程で内・外腹斜筋に疲労がたまりやすいのでストレッチでケアを。腰痛の予防にも有効です。

立っておこなう方法

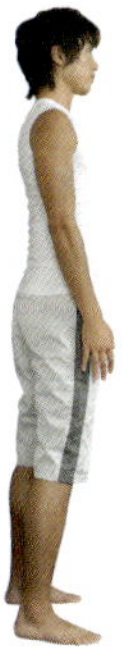

壁に背を向け、壁から一歩ぶん前に立ちます

上半身だけをねじり、両手を壁につきます

NG

骨盤もいっしょに回ってしまうと、うまく伸びません

寝ておこなう方法

NG

肩が床から離れて体ごと回ってしまうと、わき腹は伸びません

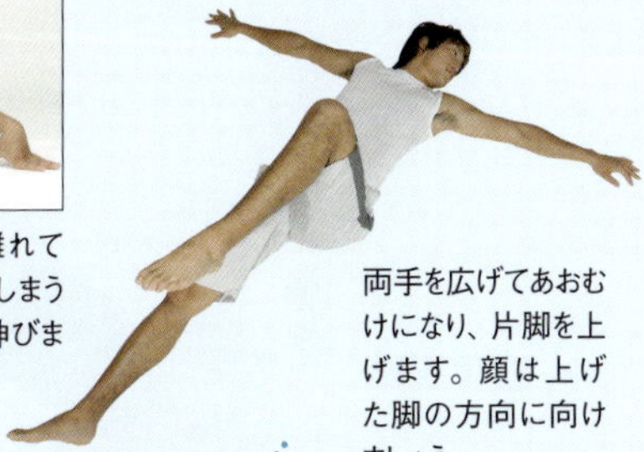

両手を広げてあおむけになり、片脚を上げます。顔は上げた脚の方向に向けましょう

上げた脚を内側に倒します。このとき肩が浮いて床から離れないように

肩を浮かせないように

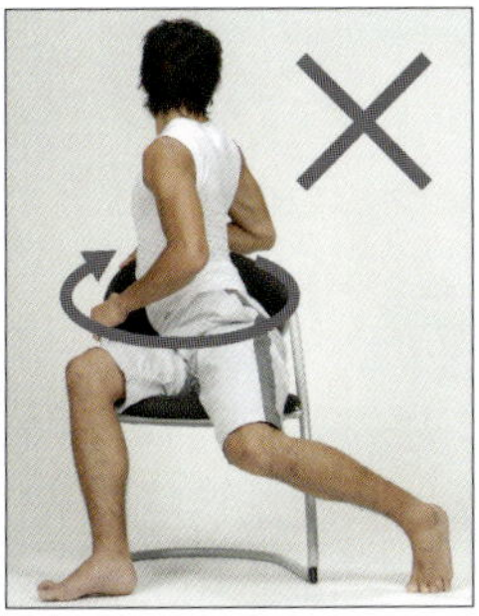

NG

腰が回る

上半身につられて腰がイスから浮いて回ると、内・外腹斜筋の基部が固定されず伸びません

25 わき腹〜腰のストレッチ

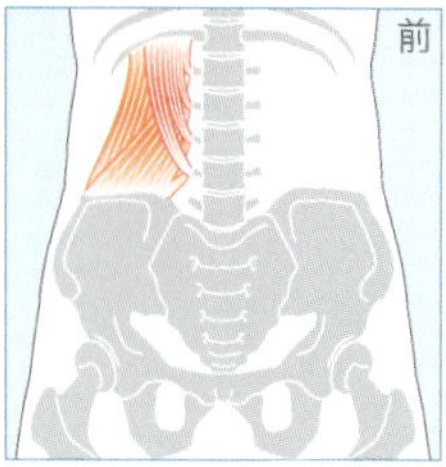

腰《よう》方《ほう》形《けい》筋《きん》

Lumbar guadrte muscle

わき腹の奥にあるインナーマッスル。おもに上半身を横に曲げる働きをします。深部から脊柱や骨盤を支え、体幹部を安定させる役割もになっています。

1 手を交差させ肩の上に

脚を軽く開いてイスに座り、手を交差させて肩にのせます

2 体幹を横に曲げる

腰を動かさないようにし、上半身を横に曲げてキープします。反対側も同様に

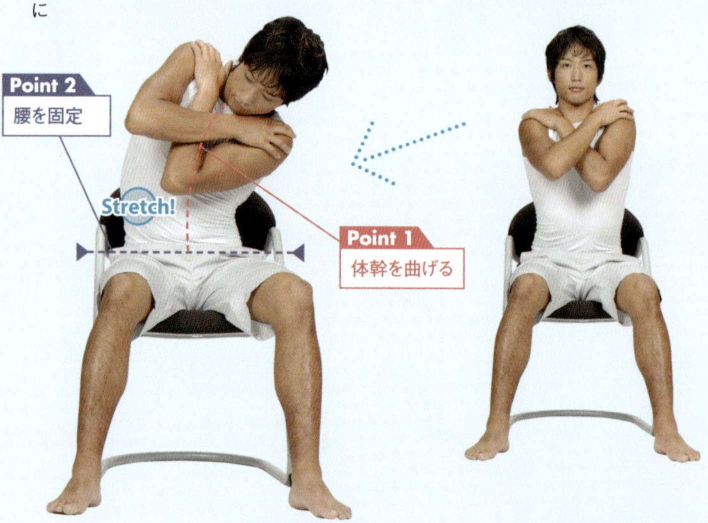

File #025

よく伸びるのはなぜ？

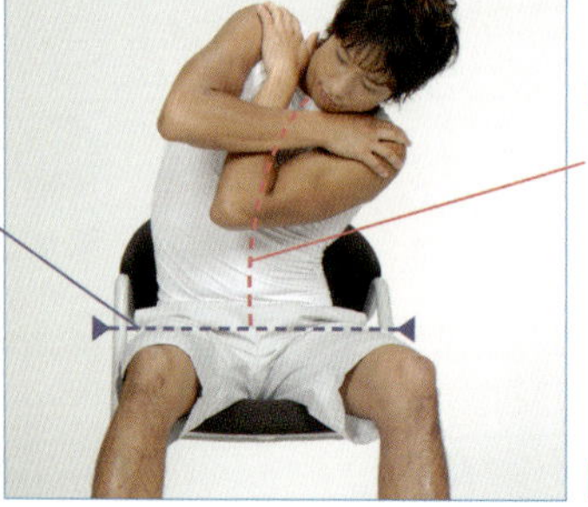

Point1の理由

体幹を曲げるから伸びる

みぞおちあたりから横に曲げることで、わき腹につく腰方形筋がよく伸びます

コアの操作

Point2の理由

腰が逃げないから伸びる

腰方形筋の基部である腰（骨盤）を固定すると、よく伸びます

基部の固定

伸ばすメリット

腹筋群、背筋群とともに体幹部を固定し動作の“軸”をつくる筋肉のひとつで、あらゆるスポーツで柔軟性が重要とされています。腹・背筋群とともにしっかりストレッチしてケアを。腰痛予防のためにもケアが大切な部位です。

立っておこなう方法

骨盤ごと傾いてしまうと、あまり伸びません

直立し、骨盤は動かさずに脊柱だけを曲げます

タッチ法で伸びを実感!

手でタッチしながら、筋肉の伸び具合を探ってもいいでしょう

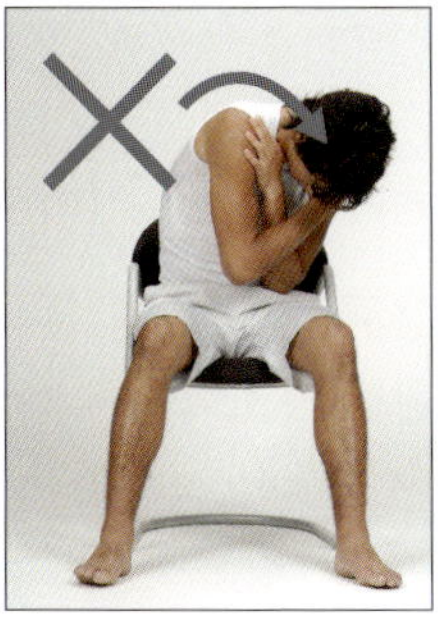

NG

前かがみになる

脊柱が前に倒れてしまうと、わき腹にある腰方形筋はあまり伸びません

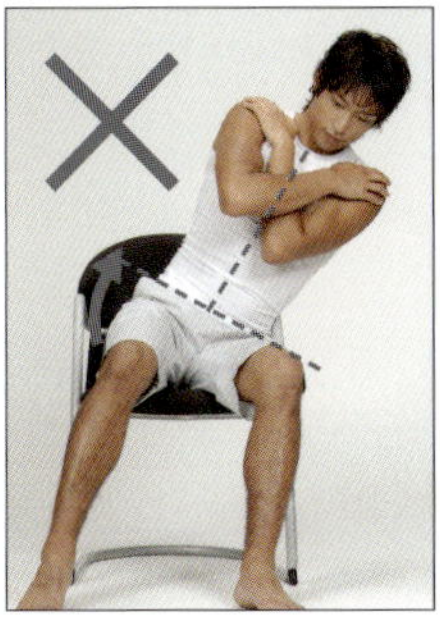

NG

腰が浮く

腰が浮いて腰方形筋の基部である骨盤が動いてしまうとあまり伸びません

26 腰〜背中のストレッチ

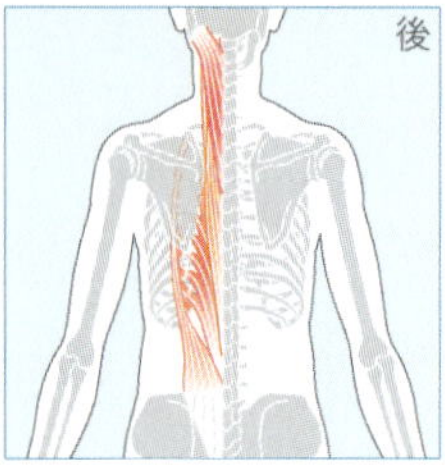

脊《せき》柱《ちゅう》起《き》立《りつ》筋《きん》

Erector spinae muscle

骨盤から首の上まで脊柱全体をつなぐ筋肉の総称。おもに体幹を反らす、横に曲げる、ねじるなどの働きをにないます。脊柱を背面から支えて、前から支える腹筋群とともに姿勢を支える重要な役割もあります。

1 あおむけでひざを立てる

あおむけになり、ひざを立てます。手のひらを下に向けて体の横におきます

Easy

らくらくストレッチ

硬い人はイスに座っておへそをのぞきこむようにし背中を丸めてキープすればOK

File #026

よく伸びるのはなぜ？

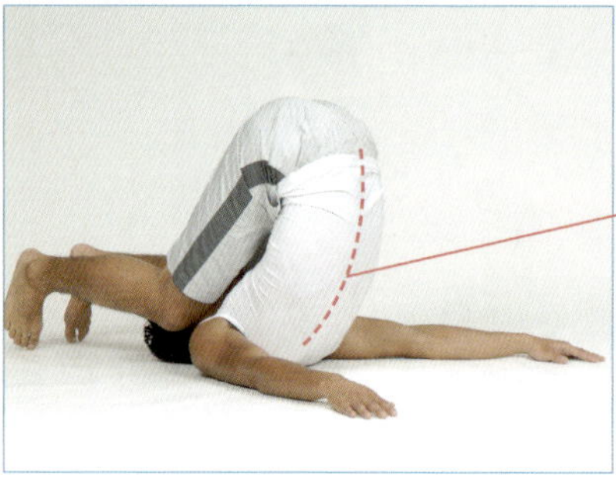

Point1 の理由

体幹を丸めるから背中が伸びる

みぞおちを中心に体幹を丸めると、脊柱の周辺につく脊柱起立筋がよく伸びます

コアの操作

伸ばすメリット

上半身の姿勢維持のためにつねに使われるため、疲労がたまりやすい部位。とくに背面の筋肉は前面以上に使われるため、ストレッチで充分なケアを。姿勢を維持する脊柱起立筋の柔軟性を高めておくことは、腰痛予防にも役立ちます。

立っておこなう方法

脚を軽く開いて直立し、両手でひざの裏側をかかえて背中を丸めこみます

2 背中を丸めて足を頭上へ

背中をみぞおちから丸めこんで足を頭の上の床につけてキープ。手を床について体を支えます

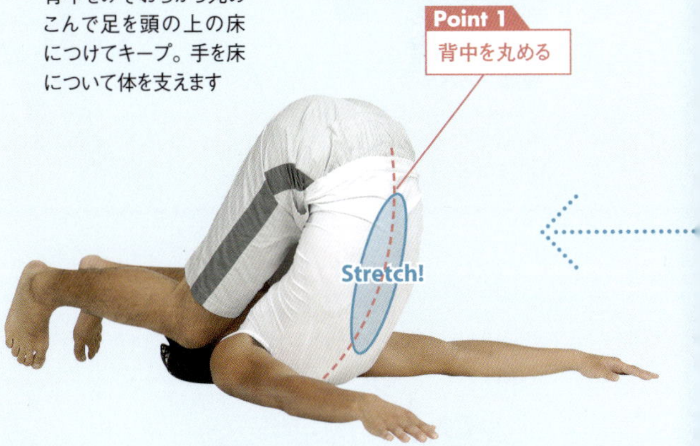

NG

背すじがまっすぐ

背すじがまっすぐ伸びたままだと、脊柱起立筋はあまり伸びません

27 首のストレッチ

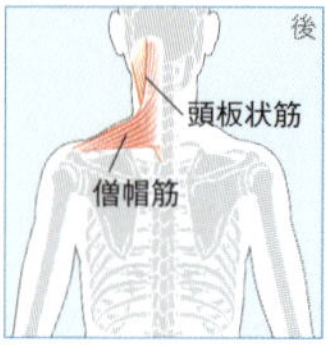

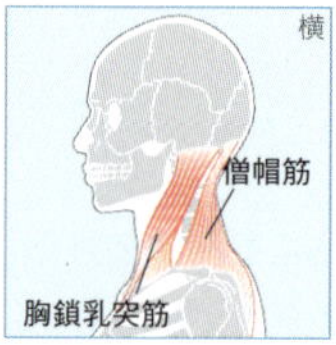

首まわりの筋肉

Muscle around neck

首を後ろから支える頭板状筋や僧帽筋上部、横から前にかけてつく胸鎖乳突筋など、首から肩周辺には多くの筋肉があります。首を前後左右にひねる動作をにない、重い頭を支える大切な役割があります。

首後面

NG 背中が丸くなる

前に倒す首につられて背すじが丸まると、首の後ろはあまり伸びません

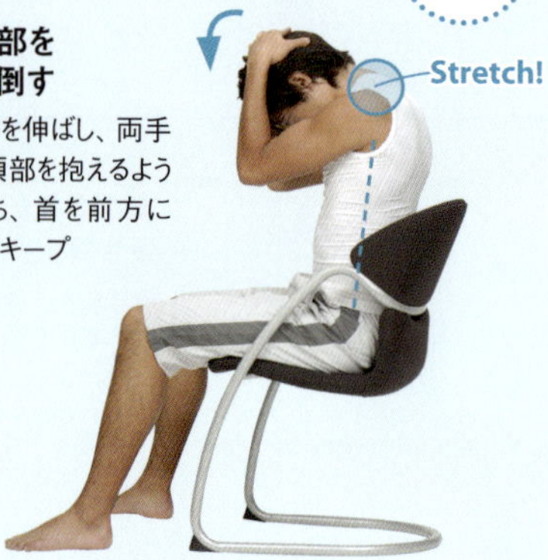

頭頂部を前に倒す

背すじを伸ばし、両手で頭頂部を抱えるように持ち、首を前方に倒してキープ

首側面

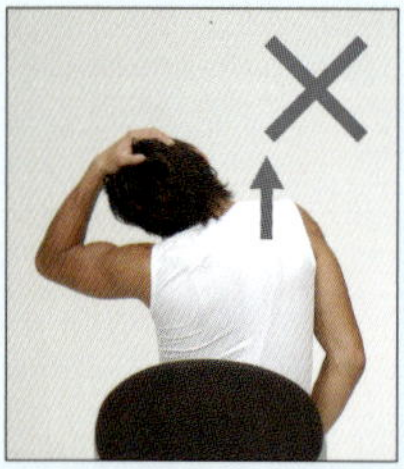

NG 肩が上がる

肩が上がると、首側面にある筋肉がゆるんでしまいあまり伸びません

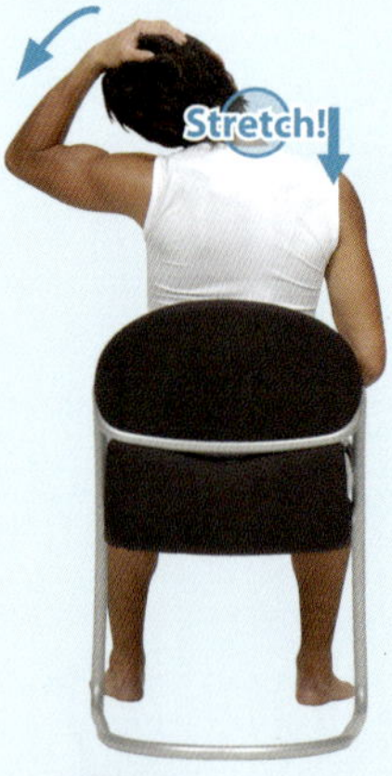

NG 後頭部を押さえる

頭頂部ではなく後頭部を持つとテコが短くなり、あまり伸びません

NG 体が横に倒れる

首につられて体ごと横に倒れてしまうと、あまり伸びません

頭頂部を横に倒す

手で頭頂部を持ち、横に倒すようにして押さえます。反対も同様に

伸ばすメリット

重い頭を支えたり動かしたりする首周辺の筋肉にかかる負担は、かなり大きいもの。筋肉のつき方に合わせて、いろいろな方向にストレッチしてほぐしましょう。とくに背面の筋肉はつねに酷使されているので入念に。

首前面

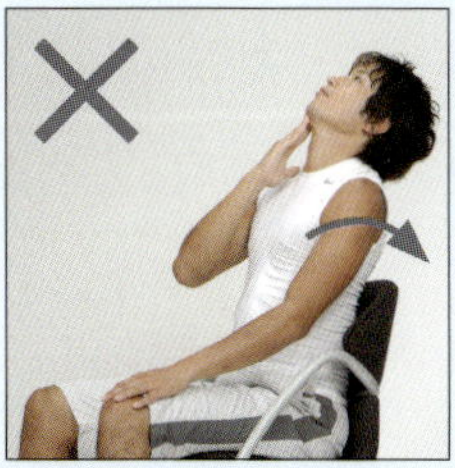

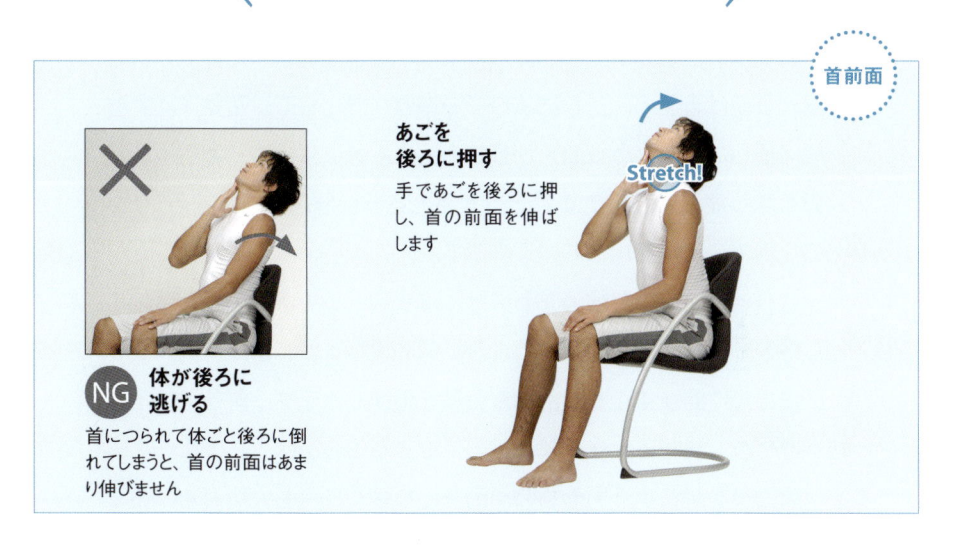

NG 体が後ろに逃げる

首につられて体ごと後ろに倒れてしまうと、首の前面はあまり伸びません

あごを後ろに押す

手であごを後ろに押し、首の前面を伸ばします

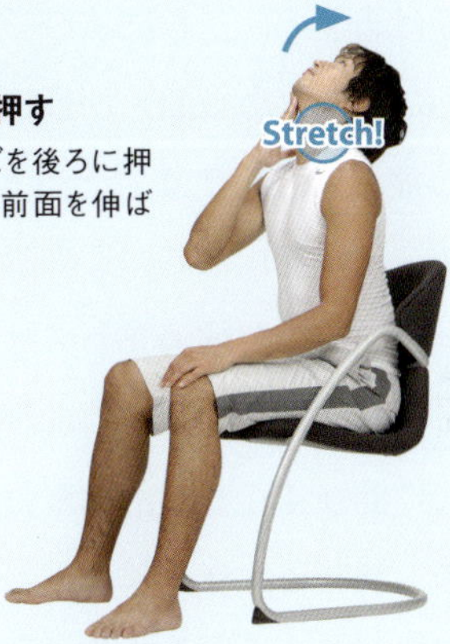

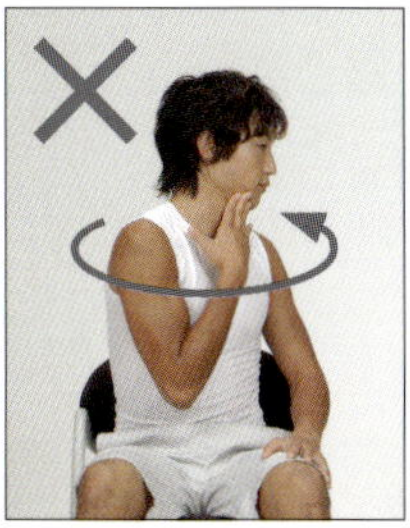

NG 体ごと回ってしまう

首をひねるときに体ごと回ってしまうと、胸鎖乳突筋はあまり伸びません

とくに胸鎖乳突筋のストレッチに

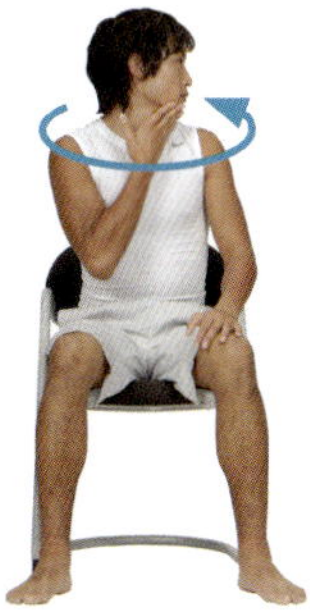

右手の指先であごを押さえて首を横にひねります

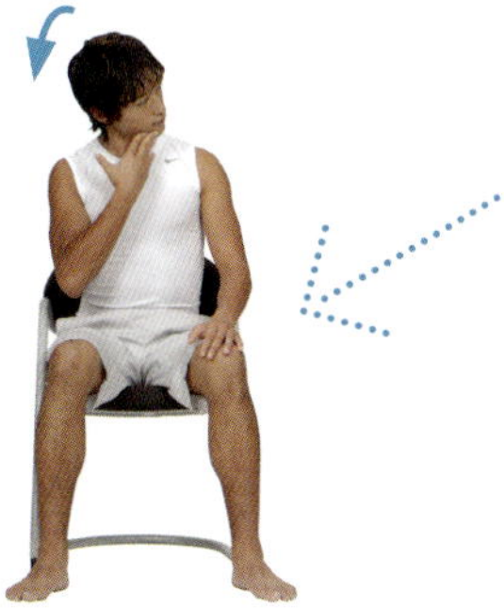

さらに、首を斜め前に倒すと胸鎖乳突筋がよく伸びます。反対側も同様に

！ 首のストレッチはゆっくりと!

首は脊髄が走るデリケートな部位。急に強い力を加えたり、伸ばしすぎたりしないよう、とくにゆっくりとおこなって

Column

肩コリの効果的な解消法とは

肩コリのおもな原因は、座り作業などで首を前傾した姿勢を長時間とり続けること。これにより血液循環が悪化して、蓄積する乳酸や滞留した血液（うっ血）からしみ出る水分によって、周辺組織が固くなり痛みが生じます。そうするとさらに筋肉が緊張するため、コリはますます悪化していくのです。

こうした肩コリを解消するには、まずストレッチで首の背部のこり固まった筋肉の緊張を解くように努めましょう。また、筋肉をリズミカルに動かすことで、血液循環を促進できます。肩を上げたり下げたり、肩から大きく腕を回したりするのもいいでしょう。

肩コリを起こすそもそもの原因をとり除くことも大切です。日ごろから、正しい姿勢をとるように心がけましょう。背中が曲がり、あごが前に出た猫背の姿勢は、重い頭を後ろから支えるため、筋肉が持続的な緊張を強いられます。猫背の人は胸を張り、あごを引いた姿勢を心がけ、負担の少ない正しい姿勢をつくりましょう。

chapter 5

動きながらゆるめる!

ダイナミック
ストレッチ・メソッド

ウォームアップにも有効！

ダイナミックストレッチとは

歩きながら、走りながら
リズミカルにストレッチ

前章までに紹介した、じっくり筋肉を伸ばしてその状態で静止するストレッチは「静的（スタティスティック）ストレッチ」と呼ばれています。ストレッチには、もうひとつ「動的（ダイナミック）ストレッチ」と呼ばれるメソッドがあります。

動的ストレッチとは、軽く勢いをつけてリズミカルに筋肉を伸ばす方法のこと。ジョグやウォーキングをしながらおこなう方法が一般的です。近年、スポーツ競技などでは、柔軟性を高めるウォームアップのために、もっぱら動的ストレッチが採用されています。

スポーツ前のウォームアップに

スポーツ動作での柔軟性・可動域の向上には「動くことで〝伸ばされる〟筋肉を、いかにうまく脱力できるか」が重要なポイントです。たとえば太ももを上げる動作では、上げる瞬間に太もも裏のハムストリングスを脱力させないと、うまく動かせません。

動的ストレッチでは、動かすことで縮む筋肉と、その反対側で伸ばされる筋肉の活動によってストレッチをおこないます。このときストレッチされる筋肉はすばやく伸ばされますが、伸張反射は抑えられて脱力しやすくなります。伸張反射が起こると目的の動作のじゃまになるからです。これを「相反神経支配」といいます。

相反神経支配を利用した動的ストレッチは、スポーツ競技のウォームアップとしてより実戦的とされています。ゆっくり伸ばす静的ストレッチに加えて、スポーツ前のウォームアップなどに動的ストレッチをとり入れるといいでしょう。リズミカルに動作するため、血液循環の促進効果も期待できます。

I 下半身のダイナミックストレッチ

ここを復習!

＊ヒップのストレッチ（P72 ～ 79）

ジョギングしながらひざをタッチ

ニータッチ

脚を引き上げながらひざをタッチする動きで
おしりの下部につく筋肉、大臀筋を伸ばしましょう。
脚をつけ根から大きく動かすように。

目安の回数
左右5回
ずつ

1 右手を左ひざにタッチ

ジョギングしながら左ひざを大きく引き上げ、右手でタッチします

2 3歩走る

3歩自分のペースで走ります

3 左手を右ひざにタッチ

4歩目に右ひざを大きく引き上げ、左手でタッチ。3歩走り、**1→3**をくり返します

ここを復習!

*ヒップのストレッチ（P72 ～ 79）
*太もも裏側のストレッチ（P82 ～ 83）

目安の回数
左右5回ずつ

つま先タッチで太ももを伸ばす

トゥタッチ

脚を大きく振り上げてつま先にタッチする動きで
太もも裏側とおしりの筋肉をストレッチ。
脚のつけ根から大きく振り上げるのがポイントです。

1 左足のつま先にタッチ

走りながら左脚を大きく振り上げ、右手をつま先にタッチします

2 3歩走る

3歩自分のペースで走ります

3 右足のつま先にタッチ

4歩目に右脚を大きく振り上げ、左手をつま先にタッチ。3歩走り、**1→3**をくり返します

ここを復習!
＊太もも前面のストレッチ（P86 〜 87）

目安の回数
左右5回
ずつ

かかとタッチで太もも前面を伸ばす

ヒールタッチ

ジョギングしながら左右のかかとを交互にタッチする動きで
太ももの前側につく筋肉が伸ばせます。
リズミカルにおこないましょう。

1
**左足の
かかとにタッチ**

ジョギングしながら左足のかかとをおしりに近づけるように振り上げ、左手でかかとにタッチします

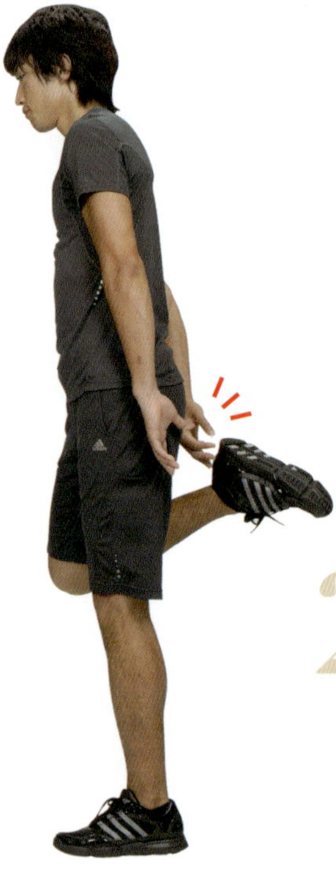

2
**右足の
かかとにタッチ**

左足が着地したら、続けて、右手でかかとにタッチ。1→2をくり返しましょう

ここを復習!

*ヒップのストレッチ（P72 ～ 79）
*太もも裏側のストレッチ（P82 ～ 83）
*下腹深部のストレッチ（P80 ～ 81）

腰を落としてヒップまわりをほぐす

ウォークランジ

腰を落として脚を大きく前に踏み出して歩く動きで
おしりや太もも裏側、下腹の腸腰筋などが伸ばせます。
ひねりを加えるとおなかまわりのストレッチにも!

目安の回数
左右5回
ずつ

1 大きく一歩踏み込む

右脚を大きく前に踏み出しながら、左ひざが床につくくらいに腰を落とします

ひねりを加える方法

一歩を踏み出すとき、踏み出した脚の側に上半身を大きくねじり、片手で後ろ足のかかとをタッチします

いったん立ち上がり、もう一方の脚も同様におこないます。1→2をくり返しましょう

2 もう一方の脚を踏み込む

いったん立ってから、左脚を大きく踏み出します。右ひざを床に近づけましょう。1→2をくり返します

ここを復習!

＊ヒップのストレッチ（P72 ～ 79）
＊わき腹のストレッチ（P118 ～ 119）
＊わき腹～腰のストレッチ（P120 ～ 121）

脚だけを動かすステップでほぐす

カリオカ

ダンスにも使われるステップで、おしりからわき腹をストレッチ。
上半身は正面を向けたまま肩を動かさず、腰から下だけを
ねじるようにすると、おなかまわりの筋肉をほぐせます。

目安の回数
左右5セット
ずつ

1 左脚を やや斜め前に

腰を右に回して左脚を横に踏み出します

2 右脚を 真横に

右脚を横に踏み出します

ここを復習!

＊ヒップのストレッチ（P72 ～ 76）
＊太もも内側のストレッチ（P84 ～ 85）

横に進む動きで太ももをストレッチ

サイドステップ

上半身は動かさずに脚だけを使い
サイドに進む動きでヒップや太もものストレッチに。
はねるように、リズミカルな動きでおこないましょう。

目安の回数
左右5セット
ずつ

1 右脚を 右真横に

右脚を大きく開いて真横に踏み出します

2 左脚を 引き寄せる

右脚が着地したらはねるようにし、左脚を引き寄せます

足のステップ

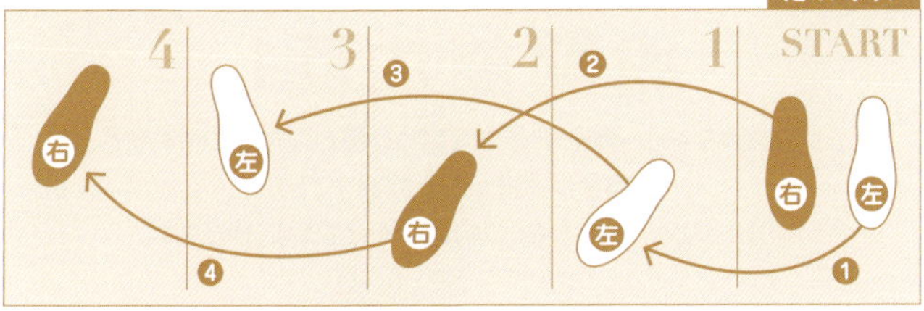

3 左脚をやや斜め後ろに

腰を左に回して左脚を横に踏み出します

4 右脚を真横に

右脚を横に踏み出します。1→4をくり返します。左方向も同様におこないましょう

3 再び右脚を右真横に

左脚が着地したら、再び右脚を大きく開いて真横に踏み出し進みます。1→3をくり返します。左方向も同様におこないましょう

脚のつけ根をほぐして脚力アップに

股関節内回し

軽く走りながら、脚を左右交互につけ根から内側に回す動き。
脚をつけ根から大きく回すことで
おしりまわりから太ももの内側にかけてがよく伸びます。

ここを復習!
＊股関節コアドリル（P45 ～ 51）
＊ヒップのストレッチ（P72 ～ 79）
＊太もも内側のストレッチ（P84 ～ 85）

目安の回数
左右5回
ずつ

1 右脚を内側に回す

走りながら右脚をつけ根から大きく内側に回します

2 3歩走る

3歩自分のペースで走ります

3 左脚を内側に回す

4歩目で、左脚を大きく内側に回します。3歩走り、**1→3**をくり返しましょう

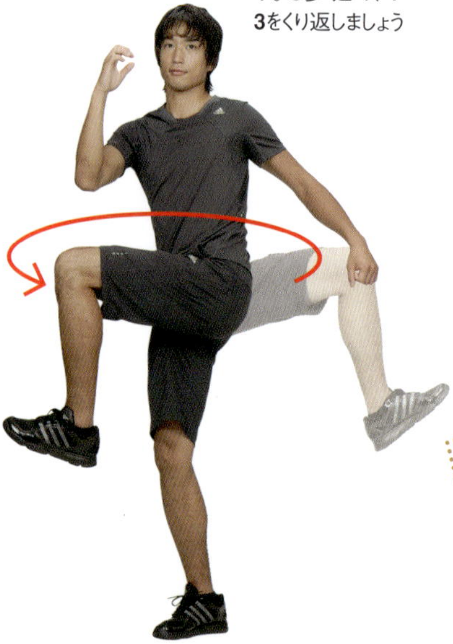

ここを復習!

＊股関節コアドリル（P45 ～ 51）
＊ヒップのストレッチ（P72 ～ 79）
＊太もも内側のストレッチ（P84 ～ 85）

外回しで脚のつけ根をさらに柔軟に

股関節外回し

軽く走りながら、脚を左右交互につけ根から大きく外側に回す動き。
股関節まわりにつくおしりから太ももの筋肉を伸ばすことで
脚を使うスポーツのパフォーマンスを向上させましょう。

目安の回数
左右5回ずつ

1 **右脚を外側に回す**

走りながら右脚をつけ根から大きく外側に回します

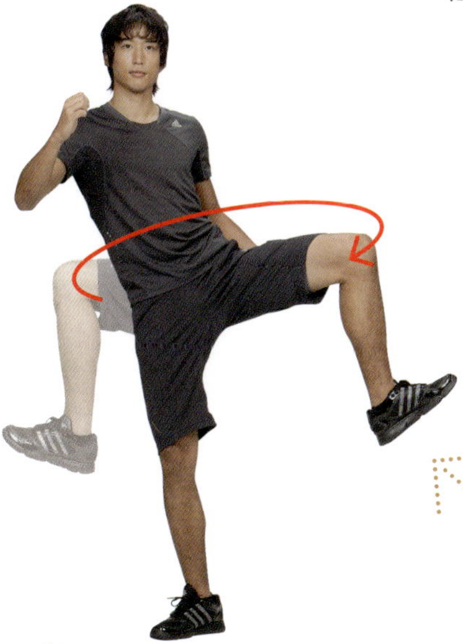

3 **左脚を外側に回す**

4歩目で、左脚を外側に大きく回します。3歩走り、**1**→**3**をくり返しましょう

2 **3歩走る**

3歩自分のペースで走ります

ここを復習!

＊胸部のストレッチ（P96 ～ 97）
＊肩のストレッチ（P102 ～ 103）

目安の回数
10回

腕を引いて胸まわりをほぐす

胸ほぐし

腕を後ろに引く動きで、大胸筋や三角筋など
胸・肩の筋肉のストレッチを。
動きを止めず、連続しておこないましょう。

両腕を後ろに引く

胸を張って立ち、両腕を胸の高さに上げます。軽く勢いをつけて、両腕を同時に背中側に引く動きをくり返します

ここを復習!

＊背中のストレッチ（P98 ～ 101）
＊肩のストレッチ（P102 ～ 103）
＊肩～首のストレッチ（P104 ～ 105）

目安の回数
10回

背中を丸めて背面の筋肉を伸ばす

背中ほぐし

上半身を前に倒す動きで背中をほぐすストレッチ。
背中周辺につく筋肉をしっかり伸ばすために
背すじをしっかり丸めましょう。

横から大きくひじ打ち

横からひじを大きく回して、ひじ打ちします。このとき腰はあまり回らないように

反対側も同様におこないます

組んだ手を下に押し出す

ひざを軽く曲げて立ち、手を組んで、前かがみになります。軽く反動をつけて組んだ手を下に押し出す動作をくり返しましょう

ここを復習!

＊肩のストレッチ（P102 ～ 103）

目安の回数
10回

腕を交差させて背中をほぐす

リバースサイドレイズ

真横に広げた腕を、背中の後ろで交差させる動きをくり返します。
三角筋などの肩の筋肉が伸ばされます。
肩コリのケアにもおすすめ!

1 腕を左右に広げる

胸を張り、両腕を大きく左右に広げます

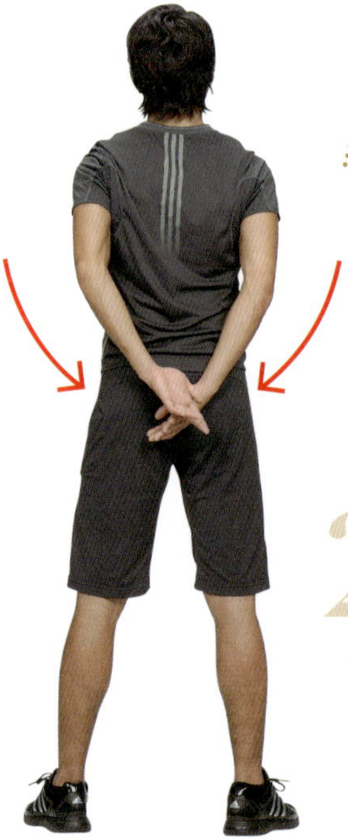

2 腕を後ろで交差させる

軽く勢いをつけて両腕を振り下げ、背中側で交差させます。**1**→**2**をくり返しましょう

ここを復習!

＊胸部のストレッチ（P96 ～ 97）
＊背中のストレッチ（P98 ～ 101）
＊肩～首のストレッチ（P104 ～ 105）

目安の回数
10回

腕回しで上腕の動きがスムーズに

腕回し

腕のつけ根から両腕を大きく回すストレッチで
上腕を動かすすべての筋肉を
伸ばしてほぐしましょう。

1 腕を交差させる

腕を体の前で交差させます

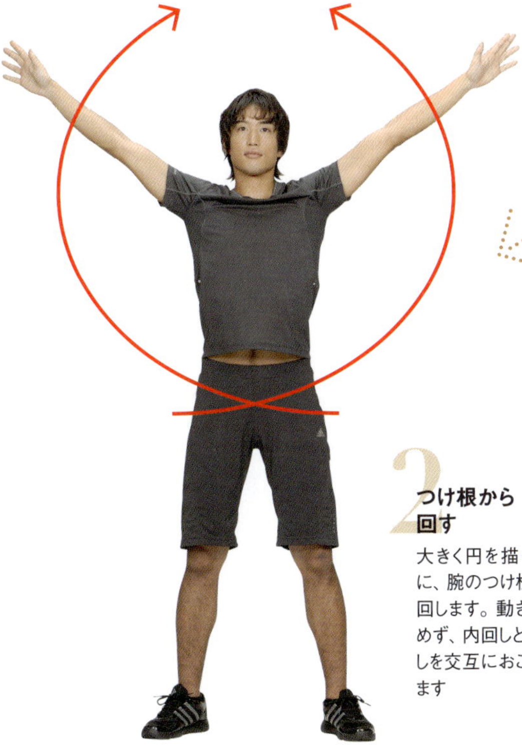

2 つけ根から回す

大きく円を描くように、腕のつけ根から回します。動きを止めず、内回しと外回しを交互におこないます

ここを復習!
＊二の腕内側のストレッチ（P110 ～ 111）

目安の回数
5回

腕を引いて二の腕前面をゆるめる

上腕引き

腕を広げた状態で、両腕を後ろに引く動きは
力こぶの筋肉である上腕二頭筋のストレッチに。
力こぶを上に、手のひらを下に向けるのがポイント。

準備動作

両腕を広げて手のひらを上に
両腕を横に広げて手のひらを上に向けます

手のひらだけを下に向ける
力こぶを上に向けたまま、手のひらだけを下に向けます

両腕を後ろに引く
両腕を後ろに引きます。軽く勢いをつけてリズミカルに

ここを復習!

＊二の腕外側のストレッチ（P112 ～ 113）

目安の回数
左右5回
ずつ

腕を振り上げて二の腕裏側を伸ばす

上腕振り

腕を背中側に振り上げてすぐ下ろす動き。
左右交互にリズミカルにおこない、
二の腕裏側にある上腕三頭筋を伸ばします。

1 **腕を大きく振り上げる**

脱力した腕を横から頭上に大きく振り上げます

2 **背中側に振り下げる**

ふり上げた勢いでひじが曲がり、背中側に振り下がります

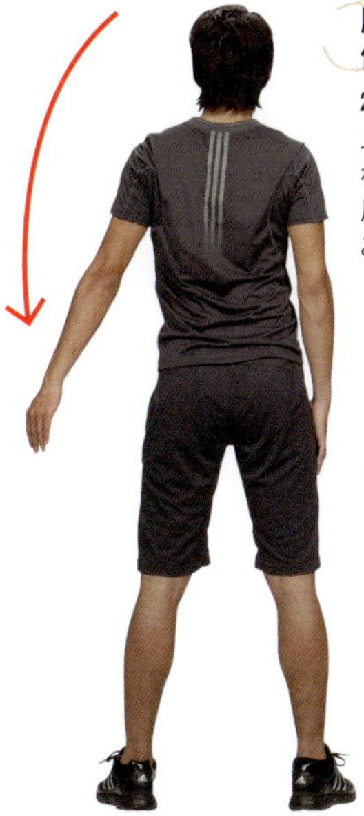

3 **腕をもとの位置に戻す**

2の反動で腕を振り上げ、そのまま体のわきに下ろします。反対側も同様におこないましょう

ここを復習!

＊首のストレッチ（P124 ～ 125）

目安の回数
10回

首まわりの多くの筋肉を伸ばす

首回し

前後左右に回す動きで、首をほぐします。
前後左右に多くの筋肉が付着する首はとてもデリケート。
痛みを感じない強さでゆっくりストレッチしましょう。

首をぐるりと回す

首を回します。右回し、左回し、の両方をおこないます

首を前後に曲げる

手を腰に当て、首を前後に曲げます

首を左右に回す

顔を左右に向け、首を左右に回します

Ⅲ 体幹のダイナミックストレッチ

ここを復習!

＊ヒップのストレッチ（P72 ～ 79）
＊太もも裏側のストレッチ（P82 ～ 83）
＊腰～背中のストレッチ（P122 ～ 123）
＊おなかのストレッチ（P116 ～ 117）

体を前後に曲げて表裏の筋肉をストレッチ

前屈＆後屈

前後屈を交互にくり返すストレッチで
太ももやヒップ、背中、おなかの筋肉を伸ばしましょう。
ひざは軽く曲げ、背中を丸めるのが伸ばすコツ。

目安の回数
10回

1 背中を丸めて前屈する

ひざを軽く曲げて、床に手をつくように軽く勢いをつけて前屈します。背中は丸めて

2 体を後ろに反らす

上半身を起こし、腰に手を当てて軽く勢いをつけて上半身を反らします。1→2をくり返しましょう

ここを復習!
＊わき腹のストレッチ（P118 ～ 119）
＊わき腹～腰のストレッチ（P120 ～ 121）
＊腰～背中のストレッチ（P122 ～ 123）

わき腹や腰、背中をストレッチ

体幹ひねり

両肩を振って回す動きで体幹をひねります。
まずは骨盤を固定しておこない、
続いて骨盤から大きく体全体をひねります。

目安の回数
10回

体幹だけひねる

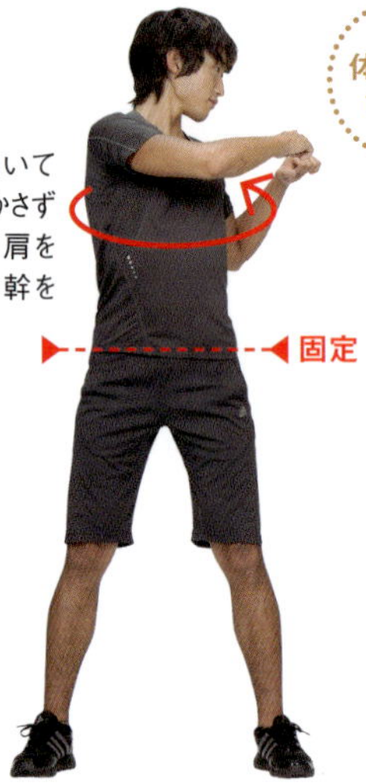

1 肩だけを左に回す

脚を肩幅に開いて立ち、腰は動かさずに固定して両肩を左に回して体幹をひねります

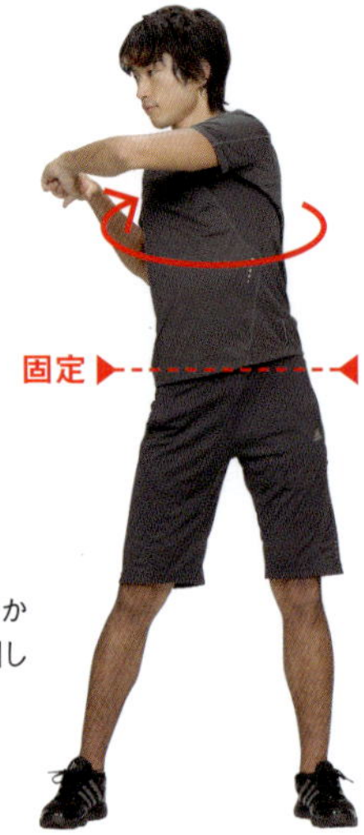

2 肩だけを右に回す

右方向も腰は動かさず、肩だけを回しましょう

骨盤から大きくねじる

3 肩と腰を左に回す

上の動きに続けて、腰も回して体全体を大きくねじります。最初は左方向に

4 肩と腰を右に回す

さらに右方向に回して**1→4**をくり返します

体幹が回っているかのめやすに

体幹がしっかり左右にひねれると、肺をとり囲む胸郭が動き、息を吐こうとしなくても自然に出ます

ここを復習!

*わき腹のストレッチ（P118 ～ 119）
*わき腹～腰のストレッチ（P120 ～ 121）
*腰～背中のストレッチ（P122 ～ 123）

体幹を倒して体側の筋肉を伸ばす

体幹倒し

体幹を左右に倒して、体の側面を伸ばすストレッチ。
まずは骨盤を固定しておこない、
続いて体全体を骨盤から大きく左右に倒します。

目安の回数
10回

脊柱だけ倒す

1 脊柱を右側に倒す

手を胸の前で組み、脊柱を右側に倒します。このとき骨盤は動かさないように

2 脊柱を左側に倒す

左側も同様に、骨盤は動かさずに脊柱だけを倒します

骨盤から大きく倒す

3 骨盤から右側に倒す

上の動きに続けて、骨盤から体全体を大きく横に倒します。最初は左側へ

4 骨盤から左側に倒す

さらに右側に倒して
1→4をくり返します

ハンドバッグは腕の筋肉の敵!?

Ｌ字形に曲げたひじにハンドバッグをかけて歩いている女性をよく見かけます。また、似たような姿勢で男性と腕を組んでデートしている女性の姿もよく見かけます。女性にとってはあたりまえな姿勢と言えそうですが、じつは腕をＬ字形に曲げているのは上腕二頭筋にとっては厳しい状況なのです。

なぜならＬ字形を維持するため、つねに腕に力を入れた状態になっているからです。腕を組む場合は、腕自体の重さを男性に預けられるのでまだラクですが、バッグを持つ場合は筋肉がこり固まることも多いでしょう。このことについて女性に聞くと、たいてい「慣れてはいるものの、やはり上腕二頭筋が張った状態になる」と言います。

この酷使された上腕二頭筋をほぐすには、適切なストレッチが重要です。たとえば、お気に入りのハンドバッグでデート、というときは、お手洗いに立ったときなどを利用して、P110のストレッチで上腕二頭筋の緊張を解き、よくほぐしてあげるといいでしょう。

Appendix

家やオフィスでできる!

悩み別
ストレッチメニュー

悩み別ストレッチ ①

肩コリ対策メニュー

痛みやだるさがつらい肩コリは
首や肩まわりの筋肉がカチコチに固まって
血流が悪くなっている証拠。
首の後ろや背中にかけての筋肉を
しっかりほぐしてあげましょう。
コリがひどくなってしまう前に
気づいたときにこまめにおこなって。

1 肩を大きく上下させる

肩を大きく引き上げてから、力を抜いてストンと落とす動作をくり返します

2 腕を前後に動かす

両手を肩から大きく前に出して、後ろに引く動作をくり返しましょう

3 腕を大きく外回し

腕を内側から外側に回します。肩のつけ根から大きく

目安の回数
5回または
10秒ずつ

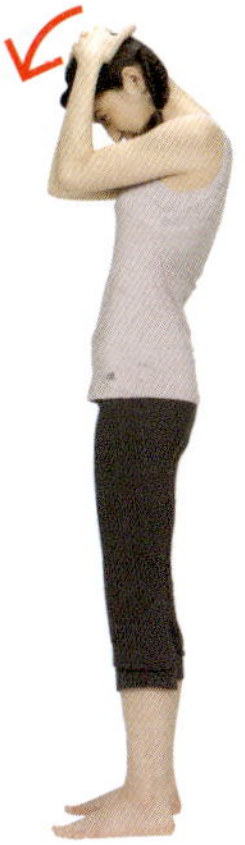

7 首の後ろをストレッチ

両手で頭頂部を持ち、首を前に倒してキープ。痛くない程度にとどめて

8 首の側面をストレッチ

片手で頭頂部を持ち、首を横に倒してキープ。左右両方おこないます

6 肩から背中をストレッチ

脚を大きく開いてひざを曲げ、左手で左ひざを外側に押すようにしながら左肩を前に出してキープ。右側も同様に

5 肩の上部をストレッチ

片手で頭頂部を持ち、斜め前に倒してキープ。左右両方おこないます

4 腕を大きく内回し

今度は外側から内側へ回します

悩み別
ストレッチ
2

腰痛対策メニュー

腰痛解消のためには
腰まわりについている筋肉はもちろん、
おなかやわき腹などの
体の前や横の筋肉をほぐすことも大切。
イスに座ってできる簡単メニューで
腰痛の原因になりやすい
筋肉の緊張をこまめにほぐしましょう。

1 背中から腰をストレッチ

イスに座り、手をひざに置いて背中を丸めてキープ

2 おなかまわりをストレッチ

手を胸の前で組み、上半身を後ろに反らしてキープ。おなかにある腹直筋が伸びているのを感じて

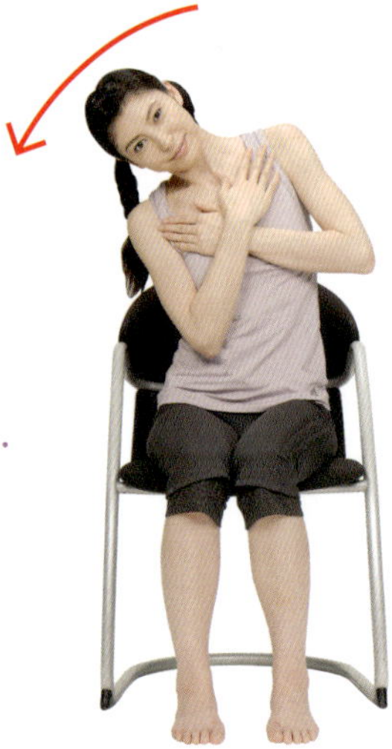

3 わき腹をストレッチ

体を横に倒してキープ。右側も同様に

目安の回数
5回または
10秒ずつ

4 わき腹をストレッチ

イスの背もたれを持ち、腰は動かさずに顔と肩だけ回してキープ。左右両方おこないます

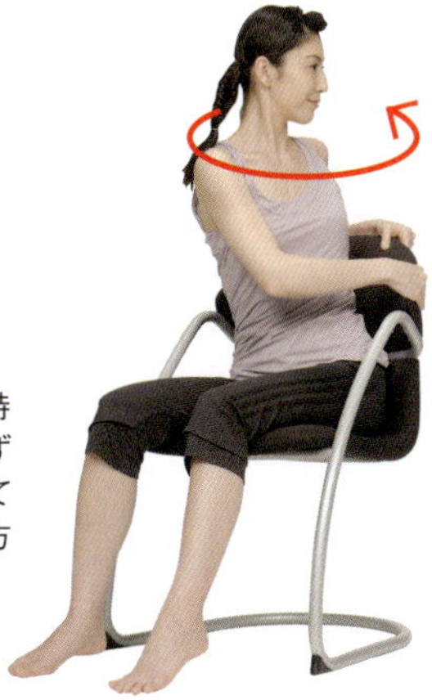

5 体幹を前後に動かす

両手を腕の前で組み、おへそをのぞきこむように上半身を丸め、反らす動作をくり返します

6 体幹を左右に曲げる

体幹を左右に曲げて。腰が浮かないように注意

7 体幹を左右に回す

上半身を左右に回します。腰がいっしょに回らないよう注意

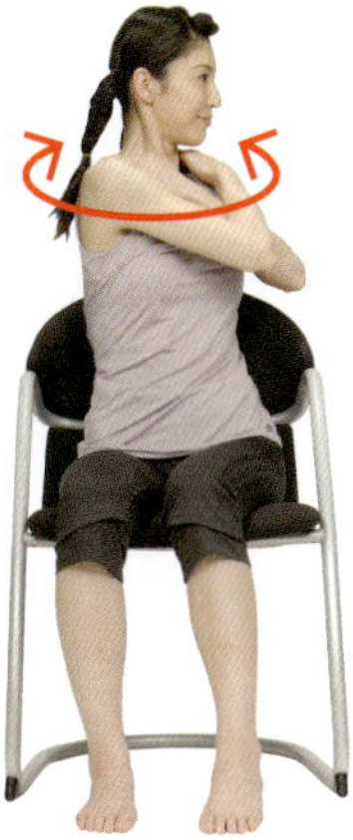

悩み別
ストレッチ
3

ワークタイムの疲労回復メニュー

目安の回数
5回または
10秒ずつ

無意識にためこみがちな筋肉の疲れは
冷えや肩コリ、腰痛、…といった
さまざまな不調を引き起こす原因に。
そこで、オフィスで座ったままできる
コンディションアップのためのストレッチを。
デスクワークで酷使されがちな肩や腕まわり、
血行が悪くなりやすい足元などを集中ケア!

**背中を
ストレッチ**

イスに座ったまま手を組み、腕を前に出してキープ

**わきの下を
ストレッチ**

イスを引いて机から離します。手を机の上にのせ、上半身を倒してキープ

**腕の前面を
ストレッチ**

ひじを伸ばして手のひらを机側に向けます。指先を机のへりにかけて伸ばしてキープ

**背中から首を
ストレッチ**

片手をイスの背もたれにかけて反対の手で頭頂部を持って右斜め前に倒してキープ。左側も同様に

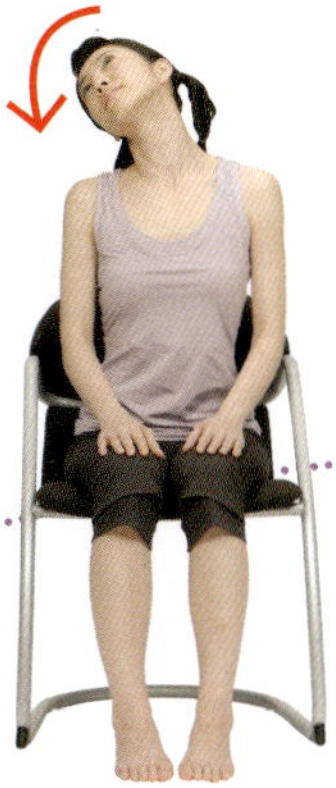

大きく首を回す

首をぐるりと回して首まわりの筋肉をほぐします。左右交互に

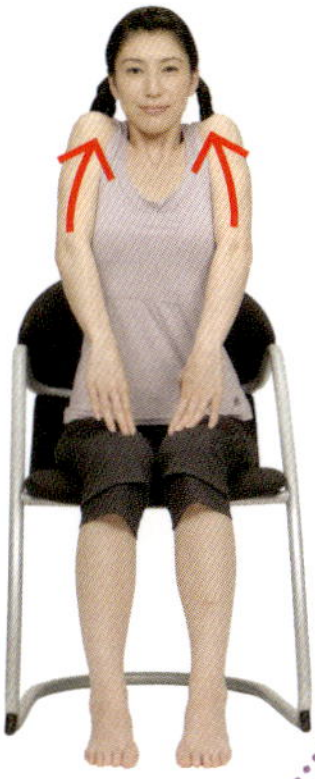

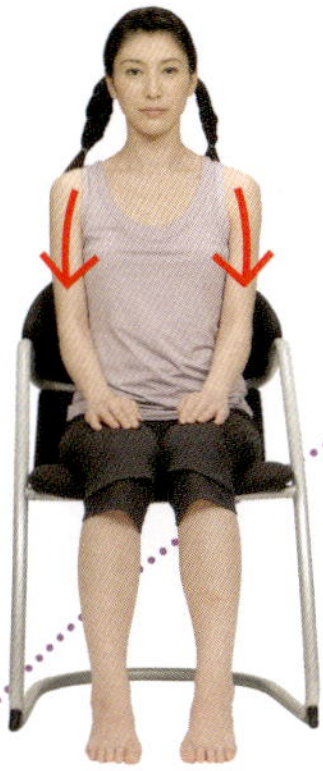

肩を大きく上下させる

肩を大きく引き上げてから、力を抜いてストンと落とす動作をくり返します

このストレッチのおこない方

仕事の合間に、疲れた部位をほぐすストレッチをピックアップしてこまめにほぐしましょう。もちろん余裕があればすべておこなってもOK

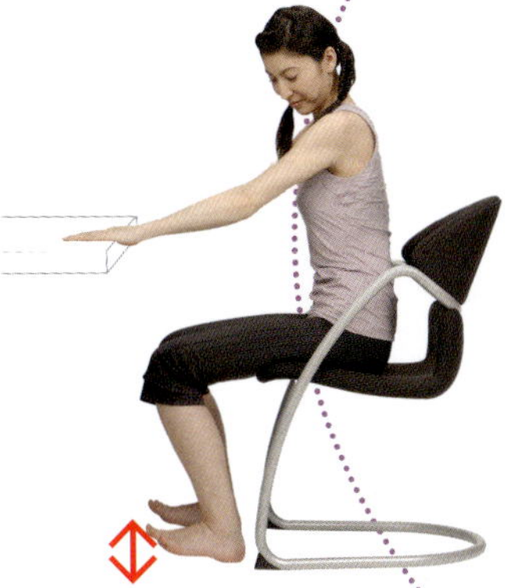

つま先を上下させる

かかとを床につけて、つま先の上げ下げをくり返します

首の後ろをストレッチ

両手で頭頂部を抱え、頭を前に引き下げてキープ

かかとを上下させる

つま先を床につけ、かかとの上げ下げをくり返します。手は机の端に置いて体を支えて

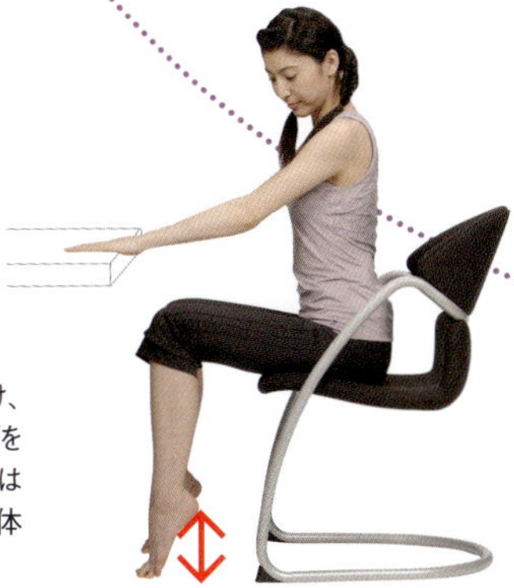

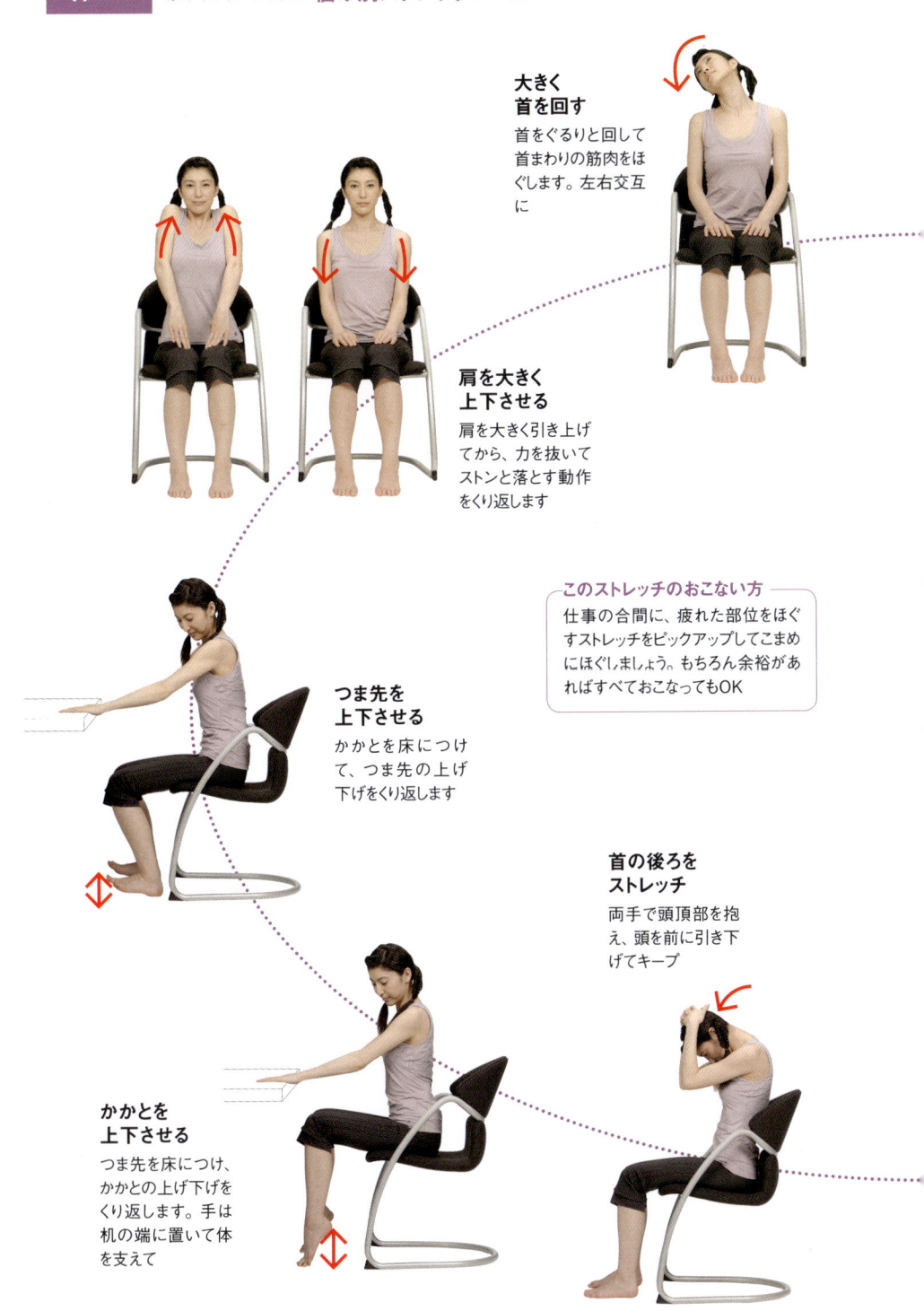

悩み別ストレッチ 4

おやすみ前の安眠対策メニュー

下半身や肩、背中、おなかまわりの
要所となる大きな筋肉をほぐして
一日の疲れをリセットするストレッチを紹介。
おやすみ前にベッドやふとんの上でおこなえば
血行が良くなり、気分もスッキリ!
心と体のストレスを解消し、安眠を導く
就寝前のスペシャルメニューです。

1 おしり下部をストレッチ

ひざを軽く曲げて座り、上半身を前に倒してキープ。背すじはまっすぐ

2 太もも裏側をストレッチ

1の姿勢からひざを伸ばします。ひざを伸ばしきったところでキープ

3 背面全体をストレッチ

2の姿勢から背中を丸めこみ、できるところまで前屈してキープ

4 背中をストレッチ

あぐらをかき、手を組んで腕を前に伸ばしてキープ。手のひらは内側に向けて

5 背中から首をストレッチ

片手を腰に当て、もう一方の手で頭を斜め前に倒してキープ。左右両方おこないます

目安の回数
5回または
10秒ずつ

6 胸と肩をストレッチ

手を後ろで組み、胸を張ってキープ。顔は軽く上を向けて

7 首の後ろをストレッチ

両手で頭頂部を抱え、首を前に倒してキープ

8 首まわりをほぐす

首をぐるりと回します。左右交互におこなって

9 おなかをストレッチ

うつぶせになり、手で床を押すようにして上半身を起こしてキープ

10 わき腹をストレッチ

あおむけになり顔と脚を反対に向けて、体をねじってキープ。左右両方おこなって

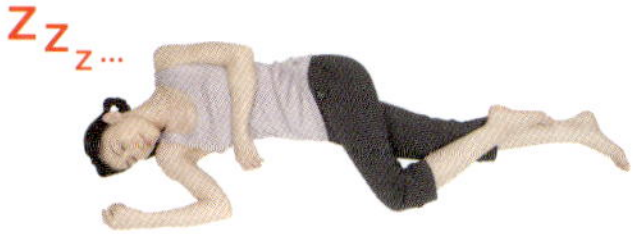

ぐっすり就寝

悩み別ストレッチ 5

運動不足解消 ウォーキング&ストレッチ

目安の回数
5回ずつ

ふだんのウォーキングをグレードアップ!
歩くだけでは伸びない全身の筋肉を
ダイナミックストレッチでしっかり伸ばします。
運動不足が気になるとき、
体のコンディションを高めたいときに
いつものウォーキングに加えてみましょう。
その場で足踏みして室内でおこなってもOK!

1 ひざを上げてタッチ

3歩に一度、ひざを上げてタッチ。左右交互におこないます

Walking

2 つま先にタッチ

3歩に一度、脚を大きく振り上げてつま先にタッチ。左右交互におこないます

Walking

3 かかとにタッチ

かかとをおしりに引き寄せるようにしてタッチ。左右交互に歩調に合わせておこないましょう

Walking

6 両腕を引く

歩調に合わせて、両腕を胸の高さで大きく後ろに引きます。胸をしっかり張って

Walking

7 ひじを横から大きく振る

歩調に合わせてひじ打ち。ひじを横から大きく回すように振って

Walking

5 体をひねる

歩調に合わせて、上半身を左右交互に大きくひねります

4 大またで腰を落とす

3歩に一度、大きくふみ込んで、ひざが地面につく手前まで落とします。左右交互におこなって

Walking

●著者

谷本道哉（たにもと みちや）

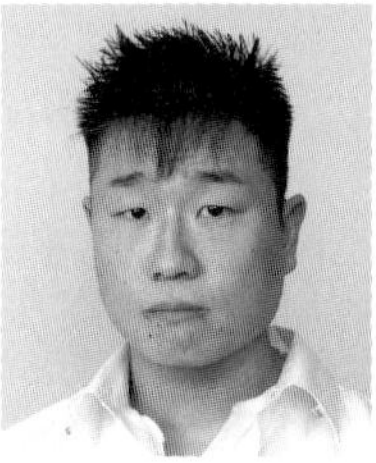

1972年静岡県生まれ。東京大学学術研究員。大阪大学工学部卒。東京大学大学院総合文化研究科博士課程修了。博士(学術)。専門は筋生理学、トレーニング科学。スポーツ・トレーニングを、遺伝子・細胞から生体の運動パフォーマンスまで、ミクロからマクロなレベルにわたって研究している。著書は『使える筋肉使えない筋肉』(ベースボールマガジン社)など多数。また共著に『スロトレ』『1日10分[クイック→スロー]で自在に肉体改造　体脂肪が落ちるトレーニング』(高橋書店)などがある。

石井直方（いしい なおかた）

1955年東京都生まれ。東京大学教授、理学博士。専門は身体運動科学、筋生理学。81年ボディビル世界選手権3位、82年ミスターアジア優勝など、競技者としても輝かしい実績を誇る。エクササイズと筋肉の関係から健康や老化防止についてのわかりやすい解説には定評があり、テレビ番組への出演や雑誌の監修など活躍の場は広い。著書に『一生太らない体の作り方』(エクスナレッジ)などがある。

5つのコツで もっと伸びる 体が変わる

ストレッチ・メソッド

著　者　谷本道哉
　　　　石井直方
発行者　高橋秀雄
編集者　小元慎吾
発行所　高橋書店
〒112-0013　東京都文京区音羽1-26-1
編集 TEL 03-3943-4529 / FAX 03-3943-4047
販売 TEL 03-3943-4525 / FAX 03-3943-6591
振替 00110-0-350650
http://www.takahashishoten.co.jp

ISBN978-4-471-14306-0

定価はカバーに表示してあります。
造本には細心の注意を払っておりますが万一、本書にページの順序間違い・抜けなど物理的欠陥があった場合は、不良事実を確認後お取り替えいたします。下記までご連絡のうえ、小社へご返送ください。ただし、古書店等で購入・入手された商品の交換には一切応じられません。

※本書についての問合せ　土日・祝日・年末年始を除く平日9：00〜17：30にお願いいたします。
内容・不良品／☎03-3943-4529（編集部）
在庫・ご注文／☎03-3943-4525（販売部）